Joni Galvão   Eduardo Adas

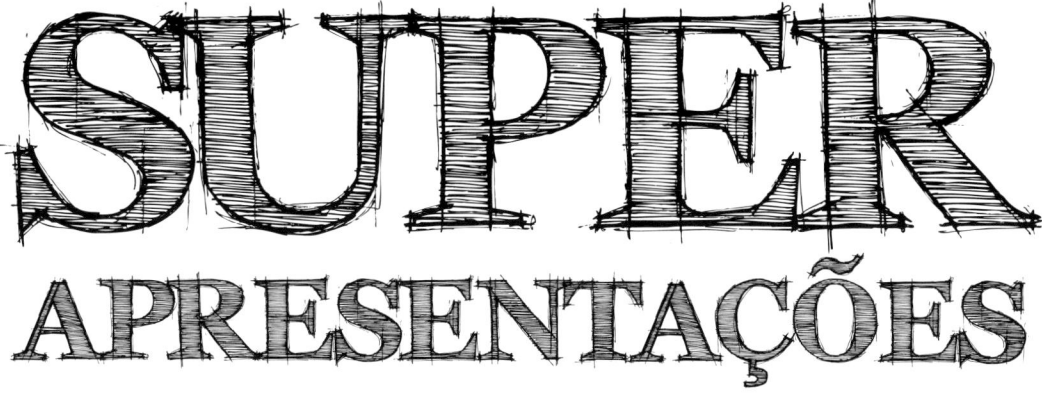

SUPER APRESENTAÇÕES

COMO VENDER IDEIAS E CONQUISTAR AUDIÊNCIAS

16ª impressão

PANDA BOOKS

© SOAP Comunicação LTDA

Diretor editorial
Marcelo Duarte

Diretora comercial
Patth Pachas

Diretora de projetos especiais
Tatiana Fulas

Coordenadora editorial
Vanessa Sayuri Sawada

Assistentes editoriais
Camila Martins
Henrique Torres

Reportagem
Marina Vidigal

Projeto gráfico
Adriano Costa Vespa
Rodrigo Gutierres

Arte
Adriano Costa Vespa
Alessandra Farias
Alyne Leme
Vitor Tanno

Colaboração
Denis Dourado
Fabio Mattos
Olivia David
Luiz Pellegrini

Preparação
Beatriz de Freitas Moreira

Revisão
Telma B. Gonçalves Dias
Carmen T.S. Costa

Impressão
PifferPrint

CIP – BRASIL. CATALOGAÇÃO NA FONTE
SINDICATO NACIONAL DOS EDITORES DE LIVROS, RJ

Adas, Eduardo
Superapresentações – Como vender ideias e conquistar audiências/ Eduardo Adas, Joni Galvão. – 1.ed. – São Paulo: Panda Books, 2011. 184 pp.

Inclui bibliografia
ISBN: 978-85-7888-104-7

1. Apresentações empresariais. 2. Comunicação empresarial. 3. PowerPoint (Programa de computador). I. Título.

11-0159   CDD: 658.452
     CDU: 005.57

2022
Todos os direitos reservados à Panda Books.
Um selo da Editora Original Ltda.
Rua Henrique Schaumann, 286, cj. 41
05413-010 – São Paulo – SP
Tel./Fax: (11) 3088-8444
edoriginal@pandabooks.com.br
www.pandabooks.com.br
Visite nosso Facebook, Instagram e Twitter.

Nenhuma parte desta publicação poderá ser reproduzida por qualquer meio ou forma sem a prévia autorização da Editora Original Ltda. A violação dos direitos autorais é crime estabelecido na Lei nº 9.610/98 e punido pelo artigo 184 do Código Penal.

Para a Patricia, minha mulher, amor da minha vida, que sempre está ao meu lado em todos os momentos. Para nossos filhos, Pedro e Luiza, nossas maiores alegrias, motivos de realização e orgulho.

Eduardo Adas

Para minha mulher Dani, que é a inspiração para tudo que faço. Para Bruno, joia única em minha vida.

Joni Galvão

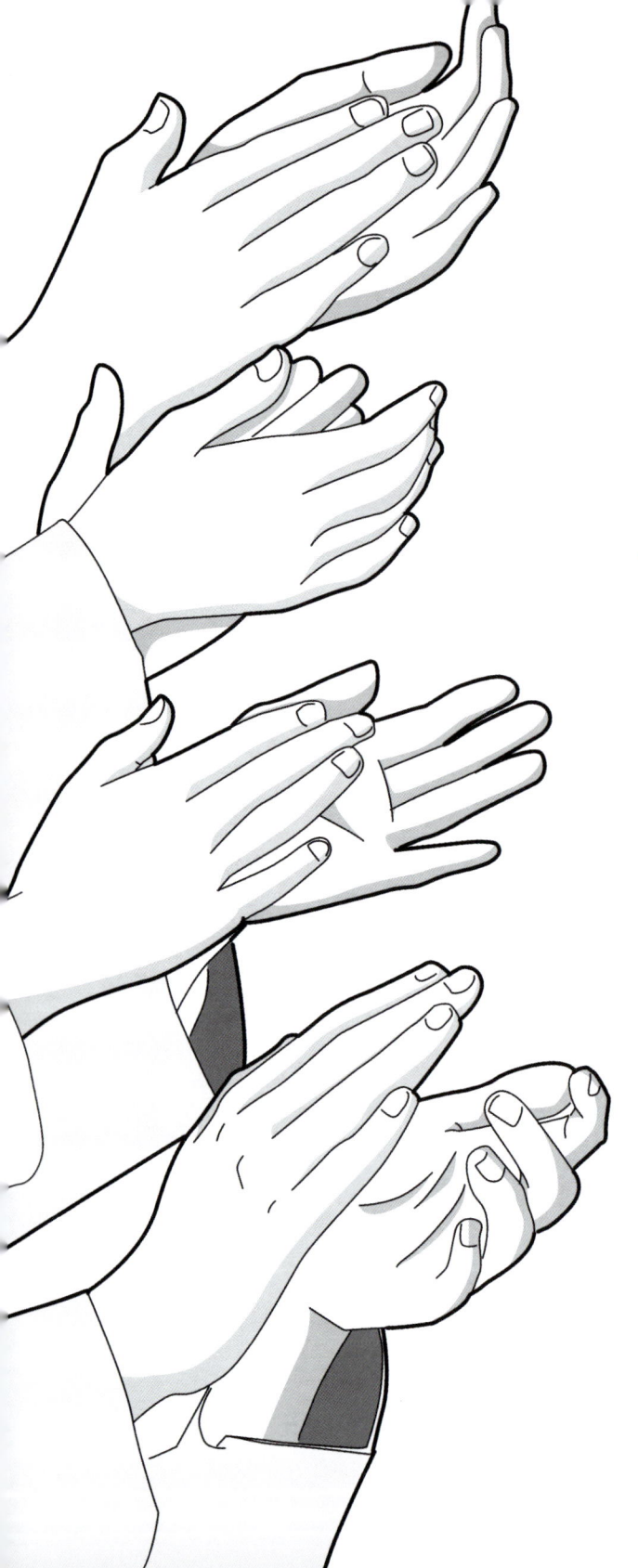

AGRADECIMENTOS

A você que comprou, ganhou, emprestou de um amigo ou está, neste exato momento, pensando em comprar este livro.

- A nossos amigos e irmãos, Roger e Artur.
- A Fabio e Pera, pela dedicação e compromisso incondicional.
- A todos os funcionários da SOAP.
- A todos os ex-funcionários da SOAP.
- A todos os futuros funcionários da SOAP.
- A todos os futuros ex-funcionários da SOAP.
- A todos os clientes, que sempre nos inspiram para grandes inovações.
- A Bill Gates e à Microsoft por disseminarem o PowerPoint, que possibilita a realização do potencial de cada apresentador.
- A Ronaldinho, o eterno número 1 da SOAP, que estará sempre em nossos corações.
- Se esquecemos de alguém, obrigado também!

Hugo Bethlem
Vice-presidente executivo de relações corporativas do Grupo Pão de Açúcar

Trabalho desde muito cedo e uma das minhas maiores motivações é poder compartilhar minhas experiências, conhecimentos e práticas com as pessoas. Ao longo desses anos, venho buscando diferentes formas de transmitir os valores e conceitos que têm ajudado a me desenvolver pessoal e profissionalmente para ser alguém melhor.

Procuro adequar e atualizar o meu discurso para que eu faça alguma diferença para as pessoas e possa ajudá-las na conquista de algo novo, melhor e importante para suas vidas. No entanto, a velocidade das mudanças e desse processo, principalmente na última década, se mostra impressionante. Neste cenário, a SOAP tem sido uma grande parceira no processo de valorização das minhas ideias, fazendo com que as pessoas percebam o cuidado e a atenção com que desenvolvo apresentações para elas.

Conquistar a atenção e levar a audiência por alguns minutos em uma mesma e alta frequência vai muito além de um PowerPoint. Uma geração conectada, interativa e que pede agilidade exige do apresentador, além de um profundo conhecimento dos conteúdos, um novo jeito de apresentá-los. Para fundamentação de uma ideia ou de um projeto, o domínio do conteúdo é o primeiro passo. No entanto, encontrar a melhor forma pode ser imperativo para que ela se torne relevante e alcance seu objetivo, seja ele de caráter de negócio, como a venda de um projeto ou apresentação de resultados, seja de engajamento ao redor de uma causa e outras tantas possibilidades. Nesse sentido, a metodologia e dinâmica da SOAP me ajudam a deixar o meu legado, seja no Brasil ou em terras distantes.

O processo e a rotina criada pela SOAP para apresentação de ideias e projetos envolvem métodos de trabalho como abordagem, estruturação da linha de raciocínio, roteiro, cuidado com o apelo visual e, para dar alma a isso tudo, o desenvolvimento do apresentador. O resultado final são, como a própria SOAP define, "apresentações no estado da arte", em que é notório o cuidado em se compartilhar algo novo, agregando valor ao tempo e ao conhecimento de quem apresenta e transmite a informação com grande generosidade, e de quem, com ânsia de aprender, recebe.

É isso o que encontraremos neste livro: um guia que o ajudará a buscar "o estado da arte" para suas apresentações e que irá destacar e valorizar o conteúdo, que é todo seu.

Boa leitura!

INTRODUÇÃO — 09

- 10 - Como tudo começou
- 12 - Nasce a SOAP
- 14 - Vocês fazem PowerPoint?
- 17 - Qual é o tamanho da SOAP?
- 18 - O segredo é a reinvenção
- 20 - SOAP no mundo
- 24 - Em qualquer lugar do globo, é preciso um novo olhar sobre as apresentações
- 26 - O olhar da SOAP
- 31 - O que é uma apresentação no estado da arte
- 32 - Como fazer uma apresentação no estado da arte?

CAP. 1 - ROTEIRO — 35

- 36 - Roteiro: O primeiro passo para uma boa apresentação
- 38 - Diagnóstico: A base do roteiro
- 46 - Redigindo o roteiro
- 48 - A redação de um roteiro inclui algumas etapas importantes
- 56 - Estratégias para elevar a atenção da audiência
- 70 - As partes de uma apresentação
- 74 - Dez pontos a favor do seu roteiro

CAP. 3 - A IDENTIDADE VISUAL — 109

- 110 - A coerência visual
- 110 - O que levar em conta ao criar uma identidade visual?
- 111 - Os elementos determinados na identidade visual
- 126 - Estilos de identidade visual

CAP. 2 - SLIDES: A CRIAÇÃO VISUAL — 79

- 80 - Por que investir no visual de uma apresentação
- 84 - Rumo aos slides
- 94 - Recursos visuais
- 103 - Dados, gráficos e tabelas
- 104 - Dicas para apresentação de dados
- 106 - Que abordagem você quer imprimir em seus slides?
- 107 - A harmonia visual das apresentações

131
CAP. 4 – O APRESENTADOR

- **132 -** Tirando o máximo do apresentador
- **134 -** O domínio do roteiro e a interação com o apoio visual
- **136 -** Como treinar para uma apresentação?
- **138 -** Linguagem, voz e espontaneidade
- **145 -** Sessão de perguntas e respostas

149
CAP. 5 - O POWERPOINT E OUTRAS FERRAMENTAS DE APOIO

- **150 -** PowerPoint: Vilão ou herói?
- **152 -** A evolução das apresentações ou "A origem das apresentações chatas"
- **157 -** Além do PowerPoint
- **162 -** As novas alternativas de apresentação
- **164 -** Como fazer uma boa apresentação virtual
- **168 -** Apresentações autoexplicativas

184
REFERÊNCIAS BIBLIOGRÁFICAS

175
FECHAMENTO

- **176 -** Um exercício de desapego

INTRODUÇÃO

Este é um livro que fala do poder da comunicação nos momentos decisivos para o seu negócio. Um livro sobre apresentações fora de série, capazes de exprimir com clareza determinado conceito ou ideia, de maneira bem estruturada, didática e absolutamente atraente para a audiência. Apresentações que representam uma comunicação realmente eficiente e às quais iremos nos referir daqui para a frente como "apresentações no estado da arte".

No papel de sócios criadores da SOAP, empresa brasileira que se dedica integralmente a essa forma de comunicação, pretendemos chamar a atenção para a importância das apresentações em momentos estratégicos das empresas. Encaramos o reconhecimento do valor desses momentos como o primeiro passo para a elaboração de excelentes apresentações. Além disso, reservamos a maior parte deste livro para compartilhar com você o método que adotamos para confeccioná-las. Mostraremos diversos recursos de raciocínio e de linguagem que, bem empregados, são capazes de revolucionar sua maneira de se comunicar em reuniões e palestras.

Antes de colocarmos as mãos na massa, gostaríamos de contar um pouco da nossa história, que se confunde com a história da criação do mercado de apresentações no Brasil. Para você já ir captando nosso espírito, ilustramos todo o livro com base em um dos princípios utilizados na confecção de apresentações, que consiste em usar o visual para reforçar as mensagens verbais. Esperamos que tenha uma boa leitura e que tire verdadeiro proveito dos conceitos e das ferramentas aqui expostos. Temos absoluta certeza de que eles são capazes de transformar suas apresentações e a sua história profissional.

Como tudo começou
Por Joni Galvão

Sou fascinado pela inovação. Desde criança, enquanto a maioria das pessoas ia para um lado, eu caminhava para outro. Sempre busquei ver as coisas por outro prisma, enxergar fora da caixa. Nos mínimos detalhes, sempre fugi do tradicional – desde o momento de escolher um presente até a hora de estruturar um negócio. Não foi essa a criação que recebi, mas foi assim que me desenvolvi.

Ainda jovem, decidi que seria atleta – jogar vôlei era meu sonho. Fiz faculdade de Educação Física, pratiquei o esporte por alguns anos, mas por uma série de fatores acabei desistindo dessa opção quando estava com 25 anos. Tardiamente, saí à procura de um novo setor em que pudesse atuar. Fiz vários cursos, conheci gente do mercado corporativo, trabalhei em algumas empresas e, em 1998, aos 29 anos, comecei a trabalhar com consultoria.

Foram quatro anos trabalhando na Accenture, uma das empresas mais respeitadas do setor. Eu tinha um bom cargo, bom salário e estabilidade, mas ainda assim não estava feliz: queria mais liberdade de criação, não aguentava ficar preso ao modelo de gestão que era obrigado a adotar naquela rotina. Muito insatisfeito, estava decidido a abrir um negócio próprio. Só não sabia em que área poderia atuar.

Conheci o PowerPoint em 1995 e adorei o programa. Eu me lembro de passar horas brincando em frente à tela, explorando as ferramentas, criando animações e me aperfeiçoando naquela linguagem. Comecei a fazer uso profissional desse programa na Accenture, onde rotineiramente apresentava projetos e propostas para os clientes.

Ainda nos anos de consultoria, ingressei no MBA em marketing no Ibmec, em São Paulo. No curso, eu me destaquei muito e sempre tive a certeza de que o sucesso se devia à forma como apresentava meus trabalhos. Feitos em PowerPoint, eles encantavam professores e colegas, que logo começaram a me pedir ajuda em apresentações para o curso e para as empresas nas quais trabalhavam.

Logo constatei que estava diante de uma grande oportunidade. Em uma área que tanto me atraía, em uma atividade em que eu de fato me destacava, havia uma demanda evidente. Em empresas de todos os portes, notei que apresentações importantes acabavam sendo delegadas a secretárias, a estagiários ou filhos de diretores que estivessem cursando uma faculdade. O trabalho não era feito por agências de publicidade, nem por agências de comunicação. As pessoas não tinham a quem recorrer.

Conversando com meu amigo e primo Eduardo Adas – com quem sempre tinha sonhado em abrir um negócio –, e com a certeza de que estávamos diante de uma excelente oportunidade que, sem dúvida, nos realizaria, propus:

"Edu, que tal criarmos uma empresa de apresentações no estado da arte?".

Como tudo começou
Por Eduardo Adas

Sou formado em engenharia de produção. A visão do processo, da estratégia e do negócio como um todo sempre me atraiu. Eu me formei em 1987 e logo depois comecei a trabalhar como consultor. Fui consultor autônomo durante 15 anos e, nesse período, tive muitos clientes. Eu adorava o que fazia e minha empresa foi muito bem.

Além da visão estratégica, sempre encarei a capacidade de comunicação como importante ferramenta de trabalho. Diante de um cenário a ser modificado em uma empresa, acredito que de nada adiantam boas ideias se o cliente não compreender o valor delas. Tendo isso em mente durante meus anos de consultoria, eu já valorizava a comunicação ao estruturar minhas propostas e recomendações estratégicas. Como consequência, minhas apresentações chamavam a atenção dos clientes, que muitas vezes me pediam ajuda nas apresentações de suas empresas.

Eu não era o único. Enquanto me destacava com as apresentações para meus clientes, meu primo e amigo Joni Galvão também caprichava em suas entregas. Conversávamos muito sobre isso e sobre outras particularidades do dia a dia profissional. Tínhamos ótimo entendimento, víamos algumas complementaridades em relação aos nossos perfis, e tínhamos o sonho de um dia abrir um negócio conjunto. Chegamos a pensar em uma empresa de marketing esportivo, em uma empresa de treinamento de executivos e também em uma consultoria conjunta. Até fizemos algumas consultorias em parceria, mas não chegamos a idealizar uma sociedade nessa área.

No ano de 2002, enquanto tudo ia muito bem nos meus negócios, tive uma série de conversas com o Joni, que se sentia sufocado em sua rotina profissional e estava louco para dar uma reviravolta naquele cenário. Em uma de nossas conversas, ele propôs que abríssemos em sociedade uma empresa de apresentações.

Confesso que fiquei reticente. Estávamos em janeiro de 2003, Lula tinha acabado de assumir a Presidência, o país vivia um clima de incerteza... Seria um risco abandonar meus clientes e meus vários projetos em nome de um negócio pioneiro. Embora concordasse com a existência de uma demanda e soubesse da nossa capacidade e gosto por fazer apresentações, eu questionava se conseguiríamos viver daquilo, se o negócio teria mesmo bom potencial. De todo modo, resolvi arriscar:

"Confesso que tenho muitas dúvidas e incertezas, mas topo. Vamos em frente, Joni, vamos criar essa empresa de apresentações!".

Nasce a SOAP

Criamos a SOAP em abril de 2003. Seria a primeira empresa de apresentações no Brasil que conciliaria comunicação, design e consultoria. Para compor seu nome, escolhemos as iniciais do estado da arte – State of the Art Presentations –, imprimindo no nome da empresa nosso objetivo de fazer trabalhos de alto nível, que transformariam a demanda identificada em negócio.

Nosso casamento foi perfeito. Mesclando a visão criativa de um com a capacidade de planejamento e execução do outro, além de importantes habilidades absorvidas por ambos nos anos de consultoria, conseguimos uma complementaridade muito rica. Tínhamos o jogo de cintura para lidar com clientes, a visão global do funcionamento de uma empresa, de métodos, processos e especialmente de estratégias. Isso tudo, somado ao domínio das apresentações empresariais e a uma aguçada visão de como aprimorá-las, fechou o pacote SOAP.

Sem investimento inicial, apenas com computadores pessoais em mãos, montamos nossas operações em uma pequena sala na zona

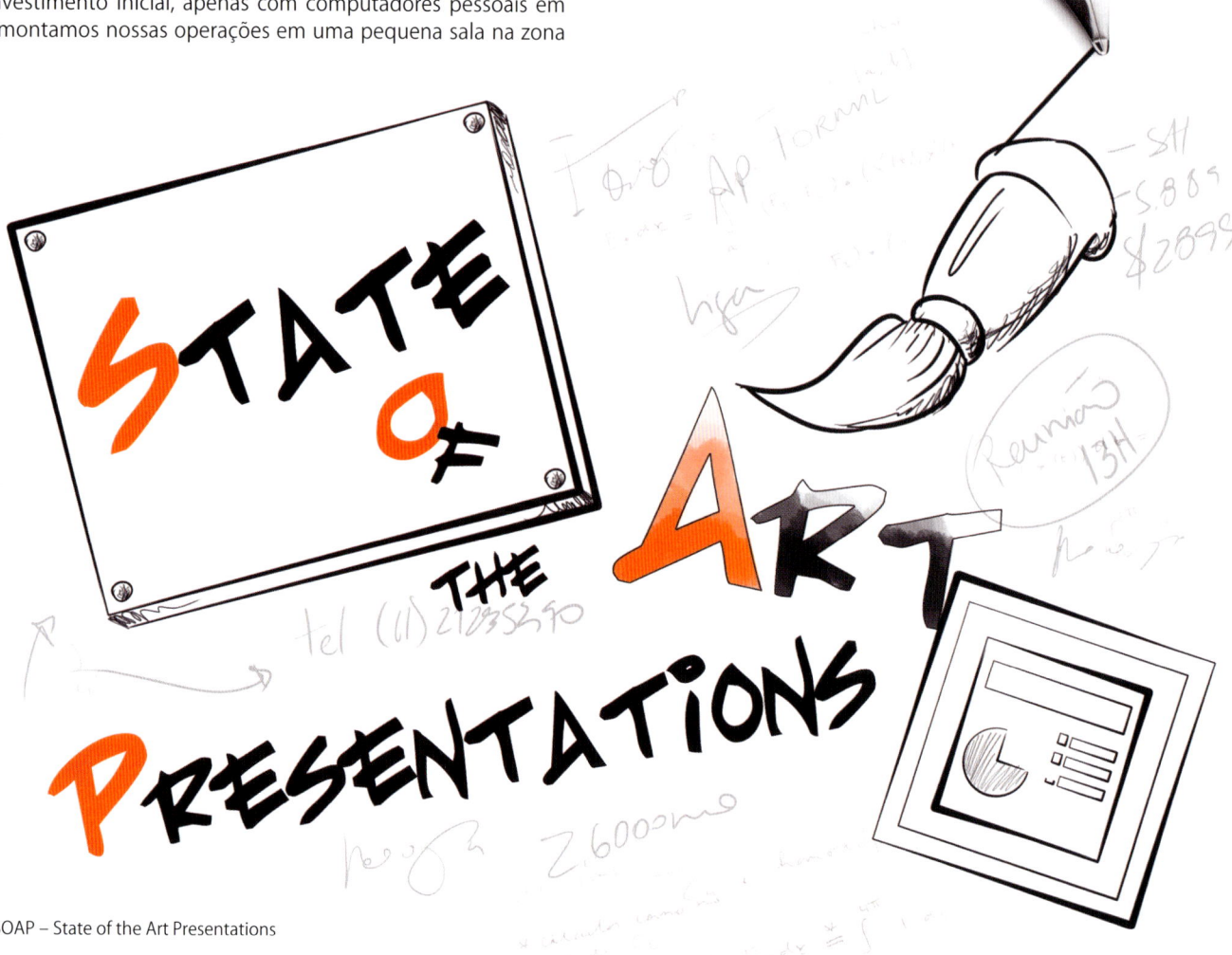

sul de São Paulo. Enquanto nos instalávamos, começamos a dar os primeiros telefonemas. Conhecíamos muita gente! Um a um, explicávamos aos nossos prospects que estávamos oferecendo um serviço até então inexistente, algo que complementaria a comunicação das empresas. Logo conseguimos nosso primeiro cliente – um executivo da Madasa do Brasil, que trabalhava com o Red Bull. Em seguida veio uma pessoa da agência Talent de publicidade, depois alguns executivos do Banco Real, da rede de supermercados Pão de Açúcar, da construtora Gafisa e, mais tarde, da Microsoft. Nossa operação "viralizou" de maneira impressionante. A cada apresentação surgiam pessoas interessadas, que procuravam os apresentadores para saber a origem daquele trabalho. "Também quero", diziam! O telefone não parava de tocar. Quando íamos nos apresentar, as pessoas do outro lado da linha não queriam saber quem éramos: "Não precisa explicar nada. Quero fazer o briefing".

O resultado é que crescemos exponencialmente sem nunca ter feito propaganda. Em seis meses, já havíamos atendido vinte diferentes empresas e, a partir de então, nunca mais pegamos o telefone com a intenção de gerar demanda. O crescimento baseou-se todo no boca a boca, fosse por solicitações da audiência aos apresentadores ou por indicação. Uma área de uma empresa indicava a SOAP para outra, uma pessoa do marketing sugeria ao comercial, outra dava o contato para a agência de publicidade. Havia clientes que mudavam de emprego e levavam a SOAP a seus novos contratantes – e assim fomos ganhando corpo, aumentando a equipe e escrevendo nossa história. Aos poucos, SOAP foi se tornando sinônimo de apresentações diferenciadas.

Vocês fazem PowerPoint?

Não saberíamos dizer quantas vezes, ao longo desses anos, nós nos deparamos com profissionais nos perguntando se fazíamos PowerPoint. Nossa resposta sempre foi a mesma: "Quem faz o PowerPoint é a Microsoft, nós fazemos nossos clientes se comunicarem melhor por meio do PowerPoint". Embora nosso trabalho possa se restringir à criação dos slides de uma apresentação (vale esclarecer que quando falamos em slides nós nos referimos a páginas de arquivos feitos no PowerPoint), na maioria das vezes atuamos muito além disso. O processo completo envolve definição da abordagem da apresentação, estruturação da linha de raciocínio, confecção de roteiro, criação do apoio visual (aí sim os slides feitos no PowerPoint!) e coaching, que é o treinamento do apresentador.

Dentro desse processo, um dos princípios que sempre nos norteou foi a valorização dos pontos fortes do cliente. Nosso primeiro slogan – "Você tem uma ideia, nós fazemos ela parecer ainda melhor" – destacava justamente isso. Todo cliente tem uma ideia e toda ideia, um valor. O papel da SOAP, entre outras coisas, sempre foi trazer à tona esse valor, destacá-lo, colocá-lo em evidência em boas apresentações. Aliás, este deveria ser o objetivo de todo apresentador!

A visão não surgiu à toa. Em nossos anos de consultoria, vimos grandes ideias, produtos e empresas morrerem na praia justamente em encontros importantes, no momento do olho no olho. O contrário também acontecia – às vezes projetos não tão bons, ideias não tão fantásticas acabavam decolando sustentadas por apresentações eficientes e bem conduzidas. E aí uma constatação importante: não basta ter um bom negócio, é preciso que fique claro para o cliente o valor desse negócio. Mais ainda, o cliente precisa reconhecer o valor do negócio para ele próprio: "Está bem, seu produto é fantástico. Mas será que ele pode melhorar minha vida?".

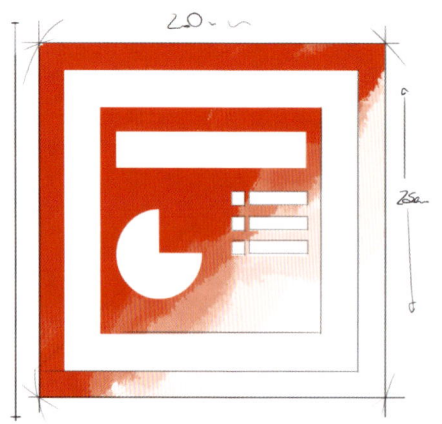

Uma apresentação bem estruturada coloca em foco justamente os benefícios de um produto, conceito ou ideia para quem está na audiência – e faz isso utilizando uma comunicação atraente e impactante. Desde o início de sua história, a SOAP tem se dedicado a ajudar os clientes a se posicionar e se comunicar de maneira realmente eficiente em momentos estratégicos.

Quando o presidente da Petrobras José Sérgio Gabrielli precisou explicar o projeto do etanol para o presidente americano George Bush, em sua visita ao Brasil em 2007, foi a SOAP que criou todo o processo, conteúdo e forma. O mesmo aconteceu em 2008, quando o ministro da Justiça Tarso Genro apresentou o Plano Nacional de Defesa, discutindo aspectos de segurança nacional. Foram momentos estratégicos nos quais estivemos presentes.

Entre reuniões estratégicas, apresentações, eventos, palestras e outros impor-

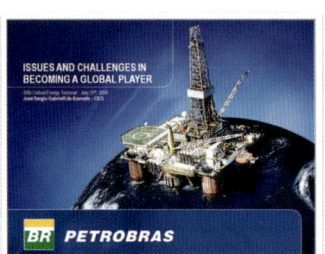
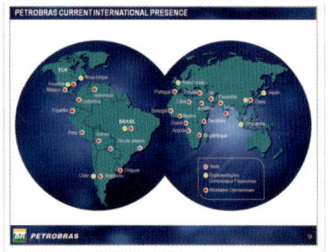

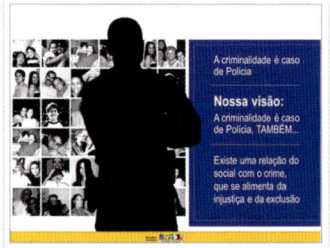

tantes momentos de comunicação cara a cara, a SOAP, em seus sete primeiros anos, atendeu a mais de quatrocentas empresas. São indústrias dos mais diversos setores, prestadores de serviços, empresas de tecnologia, bancos, ONGs, clubes de futebol, governo, agências de marketing esportivo e até agências de publicidade, que, mesmo dominando a comunicação dos trinta segundos, recorrem à SOAP quando têm reuniões importantes, nas quais precisam entregar aos clientes uma comunicação à altura de suas campanhas.

Até hoje, a empresa para quem mais trabalhamos é a Microsoft. Foram centenas de apresentações e eventos de peso, incluindo o lançamento do Windows Vista, em Nova York, e participação no lançamento do Office 2010, em Portugal. Nossos clientes corporativos incluem pequenas, médias e grandes empresas, como Grupo Pão de Açúcar, Banco Itaú, Nokia, Avon, Petrobras, Ambev, Unilever, Globo, Intel, TAM e São Paulo Futebol Clube. Atendemos também a agências de publicidade – como Africa, DM9 e Neogama/BBH – e diversas pessoas físicas. Artistas, atletas e outras personalidades procuram a SOAP para auxiliá-los em suas palestras. É o caso da jornalista e apresentadora Marcia Peltier, do piloto e comentarista Luciano Burti, do piloto Ingo Hoffmann, da atriz Danieli Haloten, do técnico de vôlei José Roberto Guimarães, do ex-técnico de vôlei José Carlos Brunoro e outros – clientes com os mais diferentes perfis e objetivos buscam o estado da arte em suas apresentações.

Temos uma atuação indiscutivelmente ampla e eclética. É interessante notar que, no início de nossa operação, tivemos de quebrar o paradigma da terceirização em relação a um trabalho que, tradicionalmente, era feito dentro das próprias empresas. Com o passar dos anos, a valorização das boas apresentações, aliada a um sólido relacionamento criado com muitos clientes, fez com que várias empresas passassem a reservar verbas próprias para apresentações em seus orçamentos. Mais que isso, houve uma mudança cultural.

- Pessoas-chave nas empresas passaram a reconhecer a importância e o valor das apresentações.
- As apresentações passaram a ser inseridas na estratégia de comunicação das empresas.
- As apresentações passaram a ser vistas como ações de relacionamento com diversos públicos.

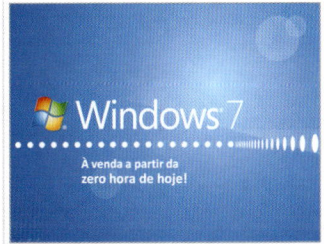

ESQUECEMOS!

A empresa estava começando sua história. Vivíamos mergulhados naquela loucura de fazer roteiros, pensar em layouts, atender a clientes, resolver questões administrativas, tudo isso ao mesmo tempo. E foi em uma tarde qualquer, quando estávamos imersos em algumas das nossas 578 tarefas diárias, que o telefone tocou.

— Oi, Joni, tudo bem?

— Tudo legal, cara. Diga!

— Então, a apresentação já está no meu e-mail?

Naquela hora, gelei! Tínhamos nos esquecido de fazer a apresentação daquele cliente! Respirei fundo...

— Cara, estamos revisando...

— Joni, pelo amor de Deus, perco o emprego se o arquivo não chegar no meu e-mail! Eu estou no aeroporto, chego em uma hora para a reunião. Pelo amor de Deus...

— Fica tranquilo, a apresentação estará no seu e-mail.

Desliguei o telefone e falei: "Edu, temos 30 minutos para fazer uma apresentação. Ela tem que ser de altíssima qualidade, altamente impactante. Temos que dar um jeito". Imediatamente começamos a estruturar a apresentação. Fizemos tudo naquela correria, na maior adrenalina, e, em menos de 50 minutos, mandei o e-mail para o cliente. Com aquele frio na barriga... "Ele vai ficar louco da vida, nunca mais vai voltar, vai achar que somos um bando de designers brincando de fazer apresentações!" E eis que, em alguns minutos, o telefone tocou...

— Sensacional, Joni! Adorei!!!

J. G.

Qual é o tamanho da SOAP?

Se no início de 2003 alguém nos perguntasse onde pretendíamos estar com a SOAP dali a cinco ou dez anos, jamais imaginaríamos atingir as proporções que atingimos. No começo fazíamos tudo sozinhos: roteiro, identidade visual, slides, visitas a clientes e treinamento de apresentadores. Nos primeiros meses a sobrecarga era tamanha que cada um de nós escolhia uma noite na semana para ficar acordado, trabalhando. Logo percebemos que precisávamos crescer.

Nosso primeiro escritório tinha apenas 20 metros quadrados. Cabíamos nós dois e ninguém mais. Em seis meses, contratamos os primeiros designers e nos mudamos para um imóvel com 40 metros quadrados. No ano seguinte fomos para um conjunto de 90 metros quadrados e, meses depois, para um de 290 metros quadrados. Crescendo 50% ao ano, passamos por quatro endereços diferentes em quatro anos! Quando chegamos a um imóvel capaz de acomodar uma equipe três vezes maior que a anterior, acreditamos que sossegaríamos. Mas não foi o que aconteceu.

Depois de acomodarmos funcionários, móveis e equipamentos, pusemos a empresa para funcionar. Logo entrou mais um funcionário aqui, outro ali, o trabalho foi aumentando – e a equipe também. Em dado momento, embora a metragem quadrada resolvesse os nossos problemas, a estrutura elétrica do prédio não nos aguentou.

Impossível esquecer esse dia. Fim de tarde de uma terça-feira, o presidente da Microsoft pisou na SOAP para o primeiro coaching para uma palestra que ele faria dali a uns dias. Não havíamos sequer nos instalado na sala e... plaft! Sobrecarga! Ficamos sem luz. Circo armado, estresse generalizado e reparos rápidos para pelo menos darmos continuidade aos jobs que estavam em andamento naquela semana. Situação controlada, mais uns dias se passaram e então foi a vez de recebermos na empresa Kátia Rabello, presidente do Banco Rural, também para o coaching de uma apresentação. "Kátia Rabello está subindo", anunciaram da recepção. Ao abrirmos a porta para ela entrar... plaft! Escuro novamente!

Em duas semanas, dois presidentes de empresa, duas sobrecargas... O resultado? Outra mudança, dessa vez em 2009, para um imóvel com quase o dobro de metragem e que, em seis meses, já precisou passar por uma reforma para acomodar melhor a equipe.

Deu certo? Até quando, eu não sei, mas sei que, até hoje, vários presidentes que entraram tiveram luzes sem nenhum plaft.

O segredo é a Reinvenção

A SOAP é pioneira no Brasil e, como tal, já nasceu com o DNA da inovação. Ao longo desses anos, nossas capacidades aumentaram. A linguagem se sofisticou, o visual evoluiu, aprendemos demais. De todo modo, nossos princípios se mantiveram – incluindo a reinvenção. Se antes fazíamos apenas roteiro e apresentação, hoje cuidamos também da abordagem e do treinamento dos apresentadores. Amanhã, faremos a ambientação do espaço de apresentações e eventos. Queremos sempre nos superar. Nossa ambição é fazer hoje o excepcional e amanhã estar ainda melhores. Para isso, incorporamos várias práticas.

- Intenção de crescimento constante, de acordo com a demanda.
- Participação regular nos eventos mais importantes do mundo relacionados a apresentações.
- Investimento em treinamento.
- Olho nas tecnologias e em formas de aprimorar produtos e serviços.
- Busca constante por novos oceanos azuis, com a ampliação de leques de produtos.
- Avaliações internas de todas as apresentações realizadas.
- Pesquisas regulares de satisfação dos clientes.
- Aprimoramento constante da abordagem consultiva.
- Reeducação e aculturamento do mercado corporativo, solidificando a valorização das apresentações.
- Ampliação cada vez maior do conceito de estado da arte e da estrutura dedicada aos clientes.

No que se refere às apresentações, temos uma série de ambições. Hoje, ao estruturar as apresentações dos clientes, nossa principal ambição é tirar o maior proveito possível da nossa visão de negócios. Temos uma equipe de roteiro e conteúdo e sabemos que o cliente pode se beneficiar muito com isso. Nossa ideia é atuar cada vez mais na inteligência da apresentação, no que precede a confecção de slides. Ajudar no posicionamento do cliente, na estruturação da abordagem das apresentações, no raciocínio que as conduzirá. Diante de um briefing, queremos ir muito além da reprodução pura e simples de uma história. Nosso objetivo são as soluções magníficas, construídas com base em diversas decisões: Usaremos metáforas e analogias? O ouro será entregue no início ou no final? Quais serão as principais emoções incorporadas a essa história? Que recursos visuais e de linguagem usaremos para impactar a audiência?

Além do aprimoramento relacionado às apresentações convencionais, essa reinvenção tem se traduzido em novos produtos e serviços, incluindo:

- "Palestras SOAP" disponíveis para o mercado: trata-se de palestras corporativas e *stand-up commedies* elaboradas pela SOAP, em parceria com diferentes palestrantes e personalidades, que podem ser adequadas conforme o perfil das empresas contratantes.
- Realização de workshops sobre apresentações, nos quais transmitimos aos participantes os principais conceitos e ferramentas para a elaboração de apresentações no estado da arte.
- Confecção de apresentações em formatos não convencionais, sejam elas virtuais (para serem feitas via computador e telefonia) ou em formato próprio para aplicativos portáteis, como iPad e Smartphone.

Com todas essas iniciativas, tivemos como auge dessa reinvenção e ousadia a SOAP cruzando fronteiras. Desde 2008, a empresa não restringe mais sua atuação ao Brasil e já estabeleceu presença em Portugal e nos Estados Unidos.

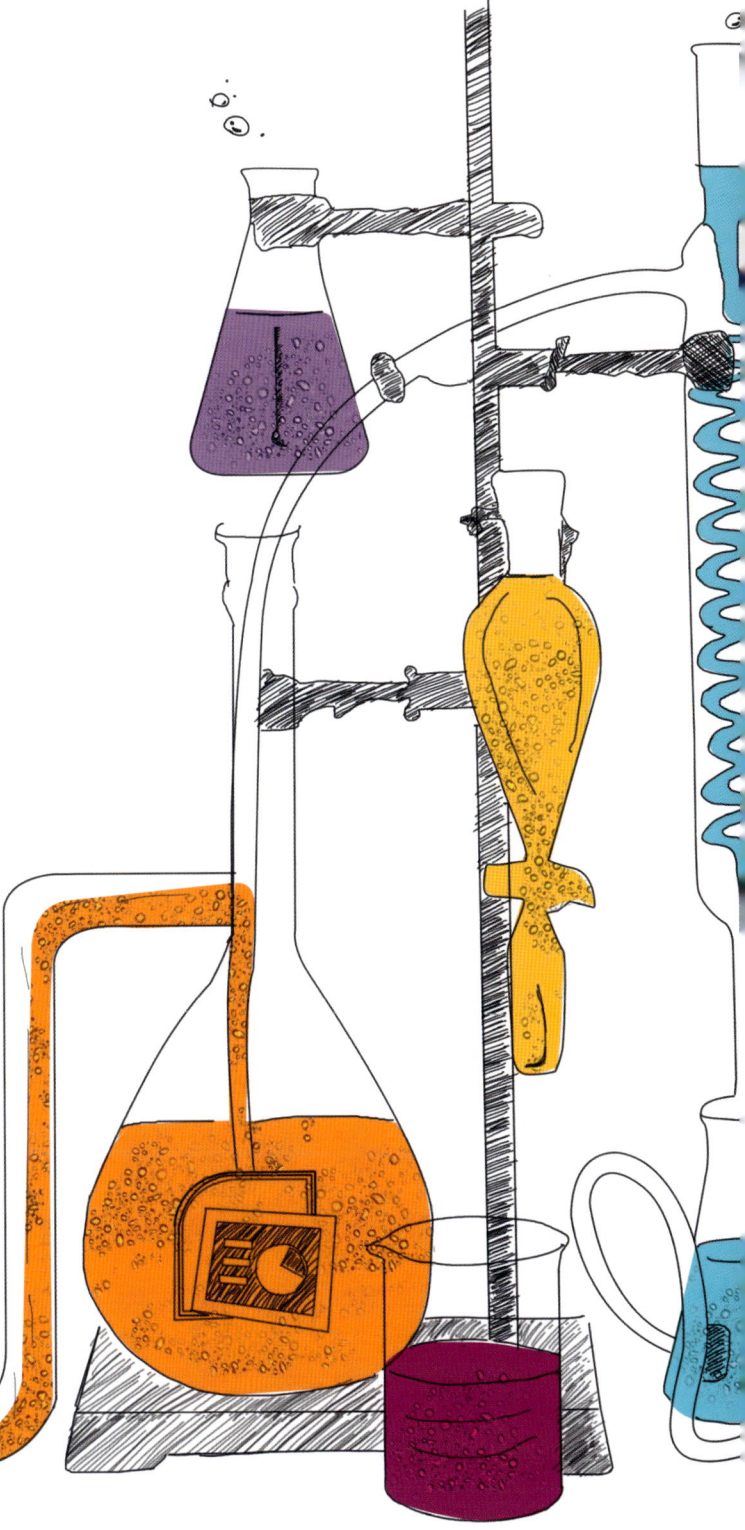

SOAP no mundo

A ideia de estender a atuação da SOAP para outros países sempre existiu. No início de 2003, ainda antes de criarmos a empresa, olhamos para fora, estudamos, pesquisamos, nos inteiramos sobre o que havia em apresentações pelo mundo afora. Em alguns países chegamos a encontrar empresas fazendo boas apresentações. Nos Estados Unidos, vimos consultores prestando serviços em estruturação de raciocínio e no visual de apresentações. Apesar disso, mesmo encontrando bons resultados, jamais encontrávamos o produto final que idealizávamos.

Entre as empresas especializadas em apresentações, víamos cada uma se destacando em características muito particulares; cada uma, a seu modo, acabava confeccionando apresentações moldadas conforme o seu perfil. Contemplávamos esse cenário sabendo que queríamos algo mais. Pensávamos em narrativas bem estruturadas, que equilibrassem razão e emoção, fossem acompanhadas de uma linguagem visual sofisticada, confeccionadas a partir de uma visão estratégica da comunicação em apresentações e, acima de tudo, coerentes com o estilo de cada cliente.

Com uma proposta diferenciada, sabíamos que poderíamos nos tornar benchmarking mundial em apresentações corporativas. Optamos por começar nos fortalecendo no Brasil. Criamos uma marca forte, um nome, uma cultura. Consolidamos essa plataforma e, aí sim, nos sentimos prontos para internacionalizar as operações. E eis que, em 2008, em um momento em que já havíamos feito mais de 4 mil apresentações no Brasil, ingressamos em Portugal. Menos de dois anos depois, seria a hora de entrarmos nos Estados Unidos.

SOAP PORTUGAL

Lideradas pelo ex-executivo da GE Artur Ferreira, as operações em Portugal foram inauguradas em um ritmo surpreendente. No primeiro mês foram 17 apresentações! Com ótima rede de relacionamentos, Artur trouxe vários clientes para a SOAP e, assim como ocorreu no início da nossa atuação no Brasil, a operação rapidamente "viralizou".

Dessa vez, o *timing* foi ainda mais curto. Em menos de dois anos, a SOAP Portugal já havia feito mais de cem apresentações. Entre seus clientes, Banco Espírito Santo, Portugal Telecom, Microsoft, Energias de Portugal (EDP), OneBiz (grupo empresarial que atua em diversos setores), refrigerantes Sumol, antivírus Panda Security, Central de Cervejas, Grupo Sonae (que atua em rede de supermercados, telefonia celular, tecnologia etc.), L'Oreal, clube Benfica e vários outros.

Além de gerir esses trabalhos, o escritório de Portugal atende às demandas de países vizinhos, coordenando a expansão da SOAP em outros países do continente europeu. Fora isso, Artur Ferreira e Eduardo Adas têm realizado palestras e workshops regulares em Portugal, orientando profissionais de diversas empresas quanto a formas de melhorarem suas apresentações.

Nossa presença em Portugal iniciou 2010 contratando profissionais de atendimento e design. Há constante troca de informações com a SOAP Brasil sob orientação de Artur Ferreira – português que é, ele está sempre a destacar as particularidades relativas à sua cultura e ao idioma. Por meio de conversas diárias, viagens e intercâmbio de funcionários, a cultura da SOAP Brasil vai sendo aos poucos absorvida pela SOAP Portugal.

SOAP US

Em 2009, com a presença da SOAP Portugal consolidada, saímos em busca de outro mercado. Começamos a tatear o mercado americano e, em 2010, ingressamos nos Estados Unidos. Em Nova York, a operação é conduzida por nosso primo e amigo Rogerio Chequer. Embora seja brasileiro, ele vive nos Estados Unidos desde 1997. Profissional do mercado financeiro, Rogerio atuou por mais de dez anos em Wall Street e, em 2010, deixou esse universo para se dedicar à SOAP.

Nos Estados Unidos, as operações também começaram aquecidas e marcadas por duas importantes parcerias. A primeira delas é com a empresa americana de apresentações Rexi Media. Dirigida por Carmen Taran e Danielle Daly, a empresa elabora apresentações e tem o coaching, ou treinamento de apresentadores, como principal frente. A SOAP US, por sua vez, é voltada à confecção de apresentações diferenciadas e não pretende atuar em coaching. Rexi Media e SOAP US, portanto, começaram a experimentar parcerias quase simultâneas ao lançamento da empresa. Nesses trabalhos conjuntos, a SOAP US elabora as apresentações e a Rexi se encarrega dos coachings.

A outra parceria importante, que nasceu pelas mãos da empresa nos Estados Unidos, é com a inglesa Carolyn Taylor, uma das maiores especialistas no mundo em cultura organizacional. A SOAP vem confeccionando o material de apoio de seus workshops, "Walking the Talk", nos quais Carolyn capacita pessoas a imprimir mudanças culturais nas empresas em que atuam. Nos Estados Unidos, o grande desafio da empresa foi começar a aplicar a metodologia em um idioma estrangeiro, ao passo que em Portugal o desafio inicial foi a distância física – hoje absolutamente bem administrada.

Em qualquer lugar do globo, é preciso um novo olhar sobre as apresentações

Por que será que a SOAP cresceu tão rapidamente? Como conseguiu se consolidar no Brasil e já tão cedo cruzar fronteiras? Creditamos o rápido crescimento da SOAP como uma resposta à valorização que ela confere às apresentações. Enquanto grande parte do mercado dá pouca importância ao assunto, colocamos as apresentações em um pedestal, atribuímos a elas grande valor e as tratamos como importantes frentes na comunicação corporativa, decisivas nas mais diversas negociações.

Em contrapartida, no mercado, é comum ver empresas que simplesmente desconsideram as apresentações como parte de seu espectro de comunicação. Mesmo algumas empresas reconhecidas por darem verdadeiros shows em campanhas publicitárias tratam as apresentações com total amadorismo. Anúncios de projetos importantes, propostas de parcerias e convocação de pessoas para a realização de mudanças estratégicas acabam sendo feitos de última hora, a pedido do apresentador, por pessoas que não dominam o assunto e sequer conhecem o perfil da audiência. Algumas vezes a confecção fica a cargo do próprio apresentador, que reserva 30 minutos da véspera de um evento importante para abrir o PowerPoint e montar um arquivo, resgatando slides de apresentações anteriores. Copia textos daqui, cola ali e dá um jeito de tirar uma história, ou ao menos uma lógica, a partir de uma verdadeira miscelânea.

Não tem como funcionar! Em eventos de grande porte, é comum os investimentos com apresentações se equipararem aos gastos com *coffee break!* Embora essa cultura tenda a se modificar, muitas empresas e profissionais ainda não se conscientizaram do valor dessa forma de comunicação, subutilizando esse momento decisivo. Relegam o PowerPoint ao segundo plano, fazem das apresentações um desastre e desperdiçam oportunidades arduamente conquistadas. Profissionais competentes muitas vezes acabam colocando a perder, na última hora, longos trabalhos de construção de marca, venda de produto, serviço ou ideia.

A emoção, o impacto e a diferenciação gerados em outras mídias se esvaem em apresentações que não criam vínculos emocionais. Justamente no momento de maior proximidade entre pessoas, diante de um importante parceiro profissional, um acionista ou uma equipe inteira de vendas, a empresa se sabota. Prejudica sua imagem, sua marca e os profissionais nela inseridos.

Enxergamos um enorme degrau entre o profissionalismo da comunicação em massa e o amadorismo com que são feitas muitas apresentações corporativas. Nós nos referimos a apresentações internas, externas ou mesmo reuniões estratégicas, agendadas às vezes com muito custo. Momentos altamente relevantes são tratados com displicência, independentemente de qualquer estratégia de marketing previamente traçada. O reflexo disso, além de negócios perdidos na reta final, são profissionais fartos de apresentações corporativas e de cansativas sequências de slides. Para muitos, o PowerPoint se tornou sinônimo de monotonia, chatice e tempo perdido. A reação da audiência é bem conhecida.

- As pessoas ficam entediadas, desinteressadas, sonolentas.
- Em vez de se concentrar nas palavras do apresentador, muitos se dispersam.
- Alguns se entregam aos maiores concorrentes de uma apresentação – as trocas de mensagens e e-mails via celular.
- A maioria das pessoas não capta as mensagens que o apresentador gostaria de passar.
- Muitos se revoltam com o tempo perdido sem ter recebido nada em troca.
- Os ouvintes fazem de tudo para fugir de futuras reuniões com o apresentador em questão.
- E, o pior: o objetivo do apresentador não é conquistado.

O olhar da SOAP

Nunca nos conformamos em ver empresas investindo fortunas em outras mídias sem sequer se lembrarem dos importantes momentos de negociações e estratégias internas. A comunicação olho no olho precisa ser encarada com seriedade. As apresentações devem ser valorizadas e trabalhadas em suas minúcias. Se você ainda não se convenceu, se está reticente em relação ao assunto, ou se encontra profissionais com essa resistência em seu meio, veja alguns argumentos que justificam uma real dedicação diante de toda e qualquer apresentação:

- Trata-se de uma oportunidade para reforçar a imagem e a identidade de sua marca – tanto em relação aos conceitos, quanto em relação ao visual.
- Ela revela momentos decisivos para a conquista de determinado objetivo, seja uma venda, uma nova atitude, a motivação de uma equipe, a aprovação de verbas para um projeto.
- Ela coloca você diante de uma audiência supostamente formada por pessoas e grupos de seu interesse, disponíveis para ouvi-lo.
- As pessoas interromperam suas atividades rotineiras para escutá-lo – e merecem receber algo relevante em troca.
- Se bem estruturada, a apresentação valoriza suas ideias, propostas e produtos – enquanto uma apresentação ruim pode destruí-los.
- Ao contrário de uma campanha publicitária, a apresentação representa uma oportunidade única de a mensagem chegar à audiência – e, como tal, não deve ser desperdiçada.
- Muitas vezes, as impressões que você deixa em seu cliente em uma apresentação são as últimas que ele tem antes de decidir fechar ou não um negócio. É comum apresentações representarem a reta final para a venda de um produto ou de uma ideia que levou meses ou anos para ser desenvolvida. Considerando tudo isso, faz sentido não planejá-las minuciosamente?

Diante desses argumentos, acreditamos que uma boa apresentação deve seguir os mesmos preceitos de uma campanha publicitária: precisa impactar, encantar e imprimir uma mensagem na audiência até levá-la à ação. Mais que isso, acreditamos que as apresentações devam ser encaradas como mídia – uma mídia decisiva na venda de ideias e conceitos, capaz de mudar o rumo da sua empresa e da sua carreira. Se a publicidade é a mídia dos 30 segundos, atestamos aqui: as apresentações são a mídia dos 30 minutos!

Ricardo Diniz

QUE OPORTUNIDADE MARAVILHOSA!
por Ricardo Diniz, presidente da Thomson-Reuters no Brasil

Em dado momento de 2009, por ocasião de uma visita do presidente mundial da Reuters ao Brasil, nos reunimos em um almoço no Banco Itaú, em companhia do dr. Roberto Setubal. Na época ele estava envolvido na fusão do Itaú com o Unibanco e trocamos experiências, já que também tínhamos passado por uma importante fusão da Thomson com a Reuters. Expusemos as vantagens que aquele trabalho conjunto estava gerando, falamos dos benefícios que a robusta estrutura conseguia proporcionar aos clientes.

Gentilmente, o dr. Roberto propôs que realizássemos uma apresentação enumerando os benefícios que nossos serviços poderiam proporcionar à instituição. Nós nos apresentaríamos para cerca de trezentas pessoas, personagens-chave de diversas áreas. Era uma chance única. Uma oportunidade maravilhosa!

Em uma oportunidade como essa, eu não queria recorrer ao costumeiro "meu produto faz isso, faz aquilo, é melhor nisso ou naquilo...". Eu estaria em um auditório com trezentas pessoas que não poderiam deixar suas mesas de operação à toa. A ausência tinha de se justificar. Eu precisava causar uma ótima impressão – era imprescindível –, inclusive pelo feedback que os funcionários dariam ao dono do banco.

Pensando em uma maneira de causar essa ótima impressão, decidi conversar com o publicitário Nizan Guanaes, então responsável pelas campanhas publicitárias do Itaú. Expliquei-lhe o contexto, disse-lhe que gostaria de falar um pouco do institucional, mostrar-lhe a fortaleza que havia surgido do casamento da Thomson com a Reuters e falar, claro, das repercussões disso para nossos clientes. O Nizan nos indicou a SOAP e sugeriu que abusássemos dos argumentos relacionados à fortaleza da nossa empresa, do seu caráter global, e que passássemos ludicamente a ideia de que, com a internacionalização do banco, eles poderiam se beneficiar muito com a parceria.

Procurei a SOAP, fizemos algumas reuniões, discutimos os conceitos e recebemos uma apresentação leve e estruturada de maneira sensacional – mostrava a trajetória da comunicação desde os tempos do pombo-correio, passava pelo trem (que era 4 horas mais lento que o pombo), falava depois dos satélites e, então, do BlackBerry, do iPhone e similares. A apresentação abordava o diferencial da portabilidade e da mobilidade, em uma fantástica conexão do passado com o presente, e que nos levava para o futuro. Ficou extraordinário.

A chance que tínhamos era única e eu tinha consciência disso. Investimos tempo, dinheiro e esforços. Como resposta, tivemos resultados muito concretos. Nossa presença no Itaú cresceu exponencialmente. Eu diria que aumentamos em cinco, dez vezes nossa presença no banco depois da apresentação. Um grande cenário se abriu. Foi realmente sensacional.

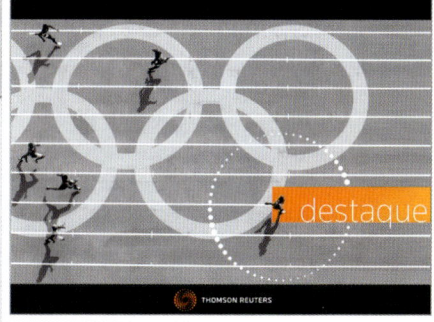

Nizan Guanaes

APRESENTAÇÕES: A MIDIA DOS 30 MINUTOS

por Nizan Guanaes, chairman do Grupo ABC de Comunicação

Nunca imaginei que uma apresentação em PowerPoint pudesse carregar os conceitos aplicados na Publicidade. Em 2004 conheci Joni e Edu. Naquela época a Africa contratava a consultoria da SOAP para criação de apresentações. Ao conhecê-los, percebi que estava diante de um negócio extremamente inovador. Trabalhei com a SOAP em diversas situações estratégicas e comprovei que os resultados de uma apresentação com planejamento, conceito central, dedicação visual e, principalmente, uma narrativa de alto impacto aumentam a força da mensagem.

Esta metodologia contribui para que as apresentações em eventos, palestras ou reuniões estejam no mesmo nível estratégico de uma campanha publicitária. Assim, por que não criar uma campanha para reuniões com seus *stakeholders*? Por que não integrar todas as reuniões com públicos estratégicos, internos ou externos, numa plataforma de apresentações diferenciadas? Por que não equilibrar emoção e razão em qualquer apresentação? Por que não encarar o momento da apresentação como uma peça de teatro? Tenho certeza que, se fizer isso, suas ideias serão valorizadas e sua audiência jamais dormirá nas suas apresentações. Além disso, e mais importante, você descobrirá que pode conduzir sua audiência em direção a seus objetivos!

Institucional
A capa da apresentação traz um questionamento que será respondido ao longo da narrativa.
A estrutura lógica começa pelo mais abstrato e emocional para, assim, migrar para o tangível e racional.

Palestra Nizan Guanaes em Madrid
O primeiro slide explica os aspectos que diferenciam a Africa com seu modelo de negócios.
Em um segundo momento da apresentação, Nizan faz analogias para explicar a importância de rupturas e novos paradigmas.

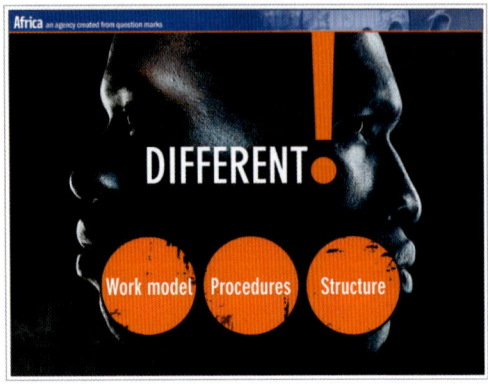

Institucional

Animação que demonstra o crescimento acelerado da Agência.

A ambientação, com uso da girafa, estava alinhada com a personalidade visual da marca.

Esta é uma forma mais atraente de mostrar dados.

Apresentação sobre propaganda na indústria de Moda

Capa com etiquetas representando marcas e consumo.

Slide que explica o conceito que direciona construção de marca na indústria.

Ponto de virada da apresentação em que o Brasil é visto como oportunidade para ser protagonista na indústria.

Apresentação institucional do Grupo de Nizan Guanaes

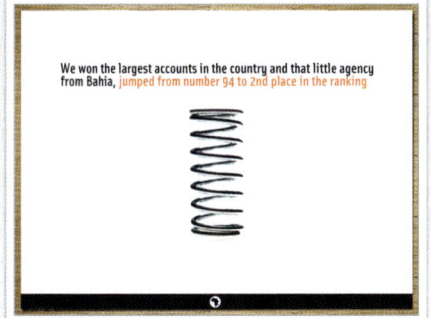
Forma de mostrar um salto enorme que a agência DM9 teve nos anos 1990 após a aquisição de uma grande conta.

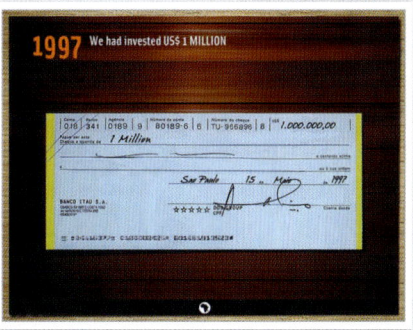
Slide que mostra claramente a evolução do negócio da DM9 após o investimento e no momento da venda para o Grupo DDB.

Slide que faz a transição para o momento em que os processos da Agência Africa são apresentados.

APRESENTAÇÕES PODEM MUDAR O MUNDO

Para Nancy Duarte, CEO da Duarte Design, empresa norte-americana especializada em apresentações, todas as pessoas trazem dentro de si os dispositivos mais poderosos conhecidos pelo ser humano: as ideias. Ideias são capazes de iniciar um movimento, mudar a história, redesenhar o futuro. "Quando uma ideia é bem-apresentada, ela é capaz de mudar o mundo", define Nancy, lembrando que, atualmente, a principal maneira de comunicar ideias é por meio de apresentações.

Trabalhando na confecção de apresentações que tratam de temas tão relevantes quanto água, sistemas alimentares e a paz no mundo, Nancy está certa de que, em seu dia a dia profissional, tem tido o privilégio de melhorar o mundo. Mesmo nas apresentações comerciais que realiza regularmente, ela acredita ter conseguido, várias vezes, transmitir conceitos positivos.

O fato é que, ao expressar um ponto de vista, o apresentador cria a possibilidade de transformar o pensamento da audiência. Não quer dizer que uma apresentação isolada seja capaz de gerar uma revolução, mas pode, sim, transformar as pessoas que por ela se sentirem impactadas. No livro *Resonate*, enfim, Nancy resume: "Acreditamos no poder de uma boa história para mover uma audiência e no poder de uma audiência para transformar o mundo".

As apresentações são um poderoso meio de comunicação.

E podem impulsionar...

... causas globais.

O que é uma apresentação no estado da arte

Praticamente todas as apresentações têm como objetivo levar pessoas a aderir a algo: pode ser uma ideia, um produto, um conceito ou mesmo uma mudança de comportamento. Considerando uma apresentação no estado da arte como um instrumento que presta um papel efetivo em direção a essa adesão, identificamos alguns elementos que diferenciam este tipo de apresentação.

Antes de tudo, uma apresentação no estado da arte é conduzida por uma história coerente, bem estruturada e atraente, capaz de despertar e manter a atenção da audiência. Essa história deve revelar uma mensagem principal, valorizá-la e sustentá-la com bons argumentos. A mensagem principal deve representar um benefício para a audiência, e a linguagem utilizada para transmiti-la deve facilitar seu entendimento. Quanto ao apoio visual, deve ser capaz de reforçar as mensagens presentes no discurso do apresentador, ajudando a audiência na compreensão e na retenção do que é exposto. Quanto mais coerente tudo isso estiver com o perfil do apresentador, mais eficiente será sua performance, e mais confiança irá inspirar na audiência.

Apresentações no estado da arte alinham todos os aspectos citados por meio de soluções de comunicação criativas e impactantes. Com isso, despertam e mantêm o interesse da audiência, possibilitam um bom entendimento, geram brilho no olhar de quem ouve e, consequentemente, criam um cenário tão favorável quanto possível para o apresentador conquistar a adesão da audiência. Apresentações fora de série não são uma garantia de um "sim" por parte da audiência, mas, sem dúvida, aumentam significativamente as chances desse sucesso.

Como fazer uma apresentação no estado da arte?

Chegou a hora. Se você tem o costume de fazer apresentações e quer aperfeiçoá-las, ou mesmo se pretende ingressar nessa prática, chegou o momento de conhecer uma série de recursos visuais e de raciocínio capaz de ajudá-lo na empreitada. Compartilharemos aqui nosso método, um método desenhado com base em práticas intuitivas aliadas a conceitos do cinema, do teatro, da publicidade, dos quadrinhos, do webdesign e de várias outras formas de comunicação.

Tudo o que falarmos daqui para frente se refere à arte de encantar audiências. Temos a certeza de que, aplicando os conceitos aqui expostos, você será capaz de criar apresentações impactantes e eficientes. Não falaremos em fórmulas mágicas, mas em um novo modo de pensar. A elaboração de uma boa apresentação, conforme acreditamos e praticamos diariamente, começa com um belo diagnóstico em torno da apresentação. Em seguida, vem a confecção de um roteiro, o posterior desenvolvimento de apoio visual e, finalmente, o treinamento do apresentador. Ao lado, você confere os principais conceitos e ferramentas desse método, que será revelado em detalhes nos próximos capítulos. Disponha-se a quebrar velhos hábitos, mergulhe nesses conceitos e dê um show em suas próximas apresentações!

1. DIAGNÓSTICO

O primeiro passo para a realização de uma apresentação é analisar uma série de aspectos a ela relacionados. Questione-se e tenha claras as respostas a questões como:

- Com quem falarei?
- Qual é o perfil dessa audiência?
- Que assunto será abordado na apresentação?
- O que essas pessoas sabem sobre o assunto que será abordado?
- Qual é meu objetivo com essa apresentação?
- Se eu puder fixar uma única mensagem na audiência, que mensagem será essa?
- De que forma o que eu tenho a oferecer pode beneficiar a audiência?
- Quanto tempo terei disponível?
- Quais são os pontos fortes do meu produto, projeto ou ideia?

2. ROTEIRO

Escrito no Word, o roteiro é a história, a linha condutora da apresentação. Sua estrutura deve ser montada de modo a conduzir o raciocínio da audiência para a mensagem principal identificada ou estabelecida no diagnóstico.

Recursos narrativos

Existem vários recursos narrativos que, bem empregados, podem gerar roteiros extremamente impactantes. São recursos utilizados com frequência em outras mídias e que podem ser bastante relevantes na confecção de uma apresentação. São eles:

- Direto ao ponto
- Metáfora
- Suspense
- Surpresa
- Conflito X Solução
- Humor
- Questionamento
- Drama
- Tom provocativo

3. DIVISÃO DO CONTEÚDO

Depois de concluído, o roteiro deve ser dividido em pequenos trechos, cada um deles, de preferência, com uma mensagem principal. Posteriormente, cada um desses trechos deverá gerar um slide, se possível composto de imagens e palavras-chave. O texto do roteiro fica no discurso do apresentador.

4. CONFECÇÃO DE SLIDES

É chegada a hora de criar os slides propriamente ditos. Eles são pensados e criados individualmente, cada um priorizando uma mensagem principal.

Slides

Toda vez que nos referirmos a slides, ao longo deste livro (e serão várias as ocasiões!), estaremos falando de slides como sinônimos de telas do PowerPoint, que nada têm a ver com os velhos e bons slides fotográficos!

Identidade visual

Para que tenham uma unidade visual, os slides devem ser feitos com base em cores e elementos gráficos (fotos, ícones, linhas, formas etc.) previamente determinados. Trata-se do estilo visual da apresentação, que deve ser coerente com a marca e o tema que estão por trás dela.

O uso do PowerPoint

O PowerPoint é uma importante ferramenta para a confecção dos slides. Quanto maior o domínio dessa ferramenta pelo desenvolvedor de uma apresentação, maior será sua liberdade de criação.

5. TREINAMENTO

Roteiro e apoio visual prontos significam o início do treinamento do apresentador, já que o pleno domínio do discurso e do apoio visual são ingredientes indispensáveis para o sucesso de uma apresentação.

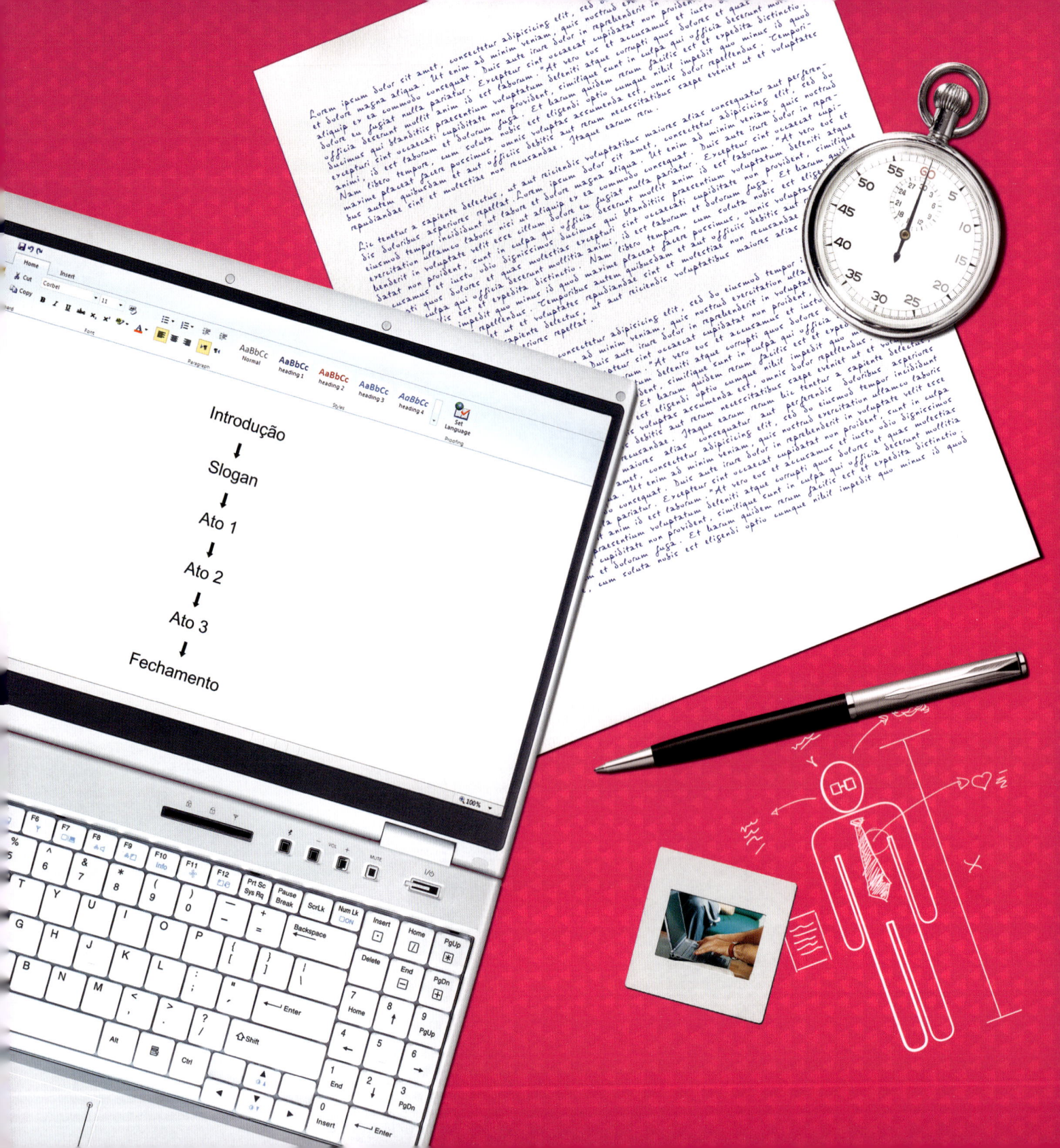

CAP. 1 - ROTEIRO

"As histórias atraem as pessoas, captam sua atenção e são mais facilmente memorizadas do que listas de regras. Grandes ideias e apresentações, portanto, devem ser parte de uma história."

Garr Reynolds

Roteiro: O primeiro passo para uma boa apresentação

Você é do tipo que sempre fez suas apresentações a partir do PowerPoint? Quantas vezes montou uma apresentação resgatando slides de apresentações anteriores e depois deu um jeito de tirar uma história daquilo? Os principais recursos que usa para montar uma apresentação são *copy* e *paste*? Se você se identifica com uma ou mais dessas questões, chegou o momento de repensar seu modo de fazer apresentações.

Ao contrário do que se pratica com frequência, defendemos que uma boa apresentação não nasce no PowerPoint, mas em um processador de textos ou mesmo em uma folha de papel. Fazendo uma analogia, começar uma apresentação pelos slides seria o mesmo que, para um diretor de cinema, sair para as filmagens antes de ter um script. Uma boa apresentação começa no Word, com um roteiro que representa aproximadamente 70% dos esforços dedicados à construção da apresentação. Depois de pronto esse roteiro, aí sim, parte-se para a elaboração dos slides.

O roteiro nada mais é do que uma história, uma narrativa que mostra o caminho crítico do raciocínio em uma estrutura bem definida, com início, meio e fim. Quando coerente e atraente, transforma o apresentador em um verdadeiro contador de histórias, confere à apresentação a dinâmica de um bate-papo e aumenta significativamente as chances de cativar a audiência.

Um roteiro ruim? Cuidado: ele pode derrubar grandes ideias e apresentadores!

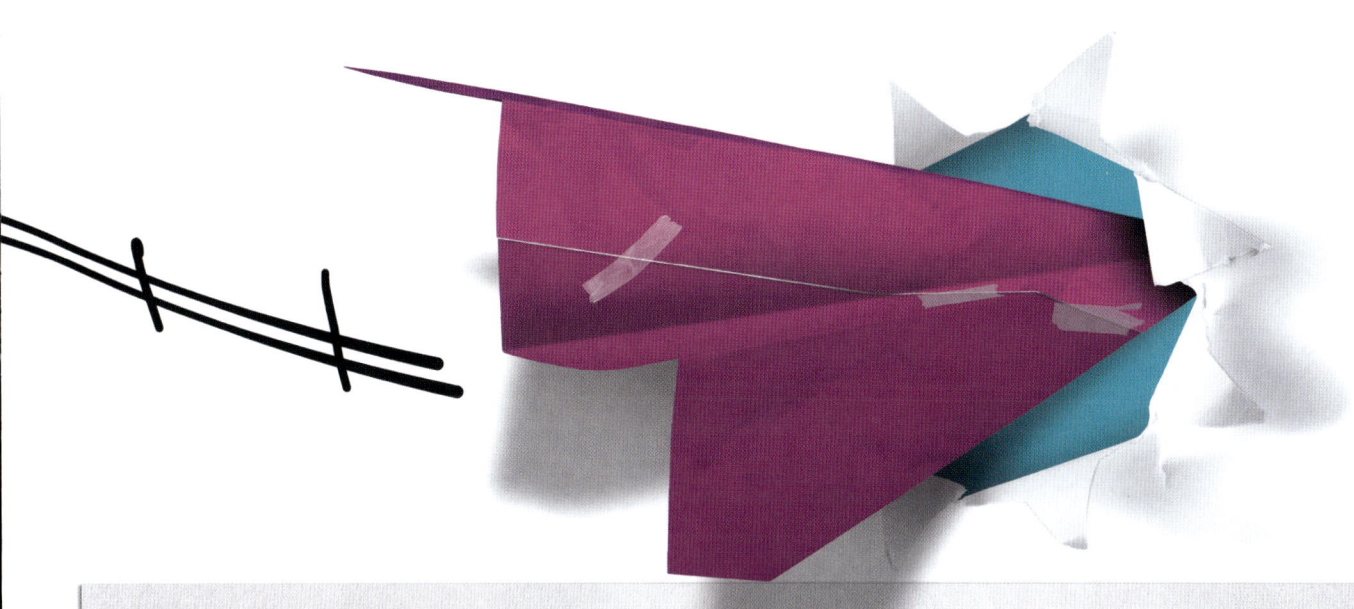

POR QUE A APRESENTAÇÃO DEVE SER COMPARÁVEL A UMA HISTÓRIA?

A opção por eleger uma história como base de uma apresentação não se dá à toa. O cérebro humano mostra-se mais receptivo a histórias do que a um apanhado de fatos, dados e relatórios. Uma história, especialmente se for permeada de emoção, tem forte poder de penetração diante da audiência, mostrando-se uma eficiente ferramenta para envolvê-la e conquistá-la, independentemente de seu perfil e de suas particularidades.

Nas apresentações corporativas, as histórias não devem roubar o espaço de eventuais dados importantes, mas servir de pano de fundo a eles. Existe uma probabilidade muito maior de as informações serem retidas pela audiência se forem comunicadas em um contexto maior, de uma maneira que toque as pessoas e lhes mostre a relevância do que está sendo dito.

Imagine o diretor de uma agência bancária que precise orientar seus gerentes para melhorar o atendimento aos clientes... Ele pode simplesmente apresentar uma profusão de gráficos e tabelas sobre o tema, mostrando resultados possíveis com um bom atendimento ao cliente. Outra opção é revelar a história de um gerente que, ao adotar práticas de bom atendimento, alavancou sua carteira de clientes e, como consequência, obteve importantes reconhecimentos e benefícios pessoais e profissionais. Nessa segunda opção, em vez de ser simplesmente bombardeada por números, a audiência se reconhece na história, identifica-se com o contexto e se dá conta dos benefícios que pode obter diante de uma mudança de comportamento. Com isso, aumentam suas chances de adesão à nova proposta de atendimento.

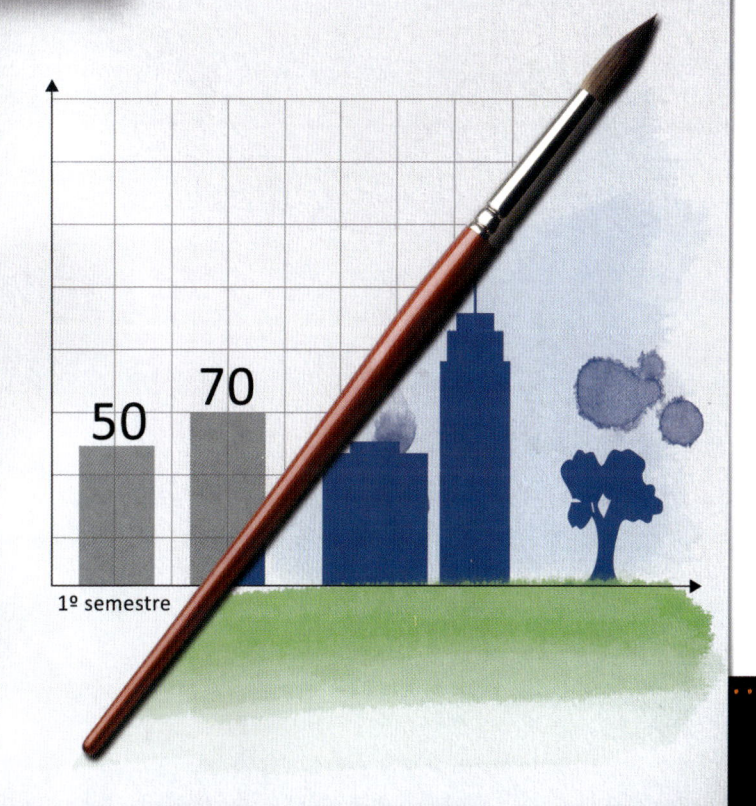

Diagnóstico: A base do roteiro

Alguma vez você já fez suas malas antes de definir para onde vai viajar? Ou mesmo sem saber particularidades mínimas relativas ao local de estada? Encontrará calor ou frio? Praia ou neve? Frequentará ambientes requintados ou fará esportes radicais? Assim como um viajante, um apresentador deve chegar bem preparado ao seu destino – é fundamental que tenha clareza em relação ao que o espera. São cinco os aspectos que merecem mais destaque:

1. A audiência que assistirá à apresentação

2. O contexto em que a apresentação será realizada

3. O tempo disponível para a apresentação

4. Seu perfil no papel de apresentador

5. O objetivo principal da apresentação

1. AUDIÊNCIA

A audiência deve ser encarada como personagem principal de qualquer apresentação. Antes de iniciar um roteiro, algumas perguntas básicas relativas a ela devem ser feitas:

- Quem estará presente? Serão diretores de uma empresa? Clientes de porte? Uma equipe de vendas?
- Essas pessoas são técnicas?
- Elas têm perfil mais formal ou descontraído?
- Quais os conhecimentos da audiência sobre o tema da apresentação?
- De que forma o que vou apresentar pode beneficiar essa audiência?

Compreender o perfil, as necessidades e os interesses da audiência é fundamental. Mais que isso, é preciso identificar que benefícios o produto, ideia ou conceito apresentado pode gerar para essa audiência – e alinhar a ela o tema e a abordagem da apresentação. Em um auditório tomado por estudantes de agronomia, não faria sentido uma apresentação sobre o bom uso dos aparelhos de musculação. Da mesma forma, para executivos de uma fábrica de automóveis, seria bem desagradável uma tarde dedicada à apresentação de técnicas para confecção de arranjos florais. Por mais óbvia que essa recomendação possa parecer, não são raras as apresentações elaboradas com foco exclusivo no apresentador e no orgulho que este tem de seus produtos, ideias e capacidades. O fato é que, por melhor que sejam esses atributos, é importante focar no que eles podem representar para a audiência. Caso não consiga identificar tais benefícios, é preferível desmarcar a apresentação.

COM QUEM VOU FALAR?

Quando não se conhece bem o perfil da audiência, é interessante tentar investigar quem são essas pessoas que assistirão à sua apresentação. Há vários caminhos para essa investigação.

No primeiro contato com uma empresa.

- Navegue no site da empresa e em blogs a ela relacionados.
- Converse com pessoas que fazem negócios com essa empresa.
- Procure eventuais reportagens relacionadas a ela.

Ao criar palestras para serem feitas em eventos.

- Estude o perfil do evento.
- Informe-se sobre o tema e o conteúdo de outras palestras que acontecerão no local.
- Identifique os expositores.
- Visite o site de edições anteriores do evento e atente aos depoimentos dos participantes.

Além das pesquisas on-line e em suas redes social e profissional, faça uma rápida investigação no local, na própria ocasião do evento. Chegue antes da hora marcada, atente à dinâmica do ambiente e converse com algumas pessoas. Do mesmo modo, enquanto espera por uma reunião na recepção de uma empresa, fique atento a todos os sinais que demonstrem os valores locais.

Logo no início da apresentação, ainda vale a pena fazer algumas perguntas à audiência, identificando eventual necessidade de se aprofundar em alguns conceitos, passar mais superficialmente por outros e, se necessário, improvisar para melhor atender ao público presente.

MION NA SUA GRADE DE NEGÓCIOS: ADEQUAÇÃO À AUDIÊNCIA

Segundo semestre de 2009. A TV Record havia convidado o apresentador Marcos Mion para participar de uma concorrência, da qual sairia um profissional para conduzir o novo programa de humor da emissora. Em vez de apresentar um programa-piloto, como muitos dos concorrentes certamente fariam, Mion resolveu se diferenciar. Atentando para as necessidades da emissora, apresentou uma proposta focada nos benefícios que poderia oferecer à emissora como um todo. Seu discurso era centrado naquilo que "um profissional de primeira" (em alusão ao slogan "TV de primeira", da Record) poderia agregar à emissora.

Mion abriu a apresentação mostrando alguns dos trabalhos que havia realizado e disse que conduzir programas de humor estava em seu DNA. O foco da apresentação, portanto, não seriam suas habilidades de apresentador. Em seguida, chamou a atenção para o fato de que, em uma emissora de televisão, ele poderia agregar à grade de negócios como um todo, representando muito mais que um bom apresentador. E revelou o slogan de sua apresentação: "Marcos Mion na sua grade de negócios".

Sustentando a mensagem principal, Mion mostrou que, além de fazer um humor de primeira, era capaz de realizar isso com criatividade e baixo custo, otimizando recursos da emissora. Mais que isso, expressou sua preocupação em gerir o programa com foco no aumento da audiência e de anunciantes de qualidade. De quebra, propôs a realização de um trabalho contínuo e intensivo com a audiência nas redes sociais, nas quais ele já tinha entrada expressiva.

Atenção à elaboração do roteiro: o apresentador identificou necessidades reais da audiência e, baseando-se nelas, orientou sua proposta. Expressou sua preocupação com os custos do programa, com os anunciantes, com a audiência, e ainda propôs uma forte atuação nas redes sociais. Suas qualidades, embora tenham aparecido em dado momento, não foram o foco do discurso. O foco foi direcionado aos benefícios que tais qualidades poderiam gerar para a Record.

A abordagem diferenciada, de fato, encantou os contratantes. A Record comprou a ideia, Mion foi contratado, e em 10 de abril de 2010, meses depois dessa apresentação, seu programa Legendários entrou no ar.

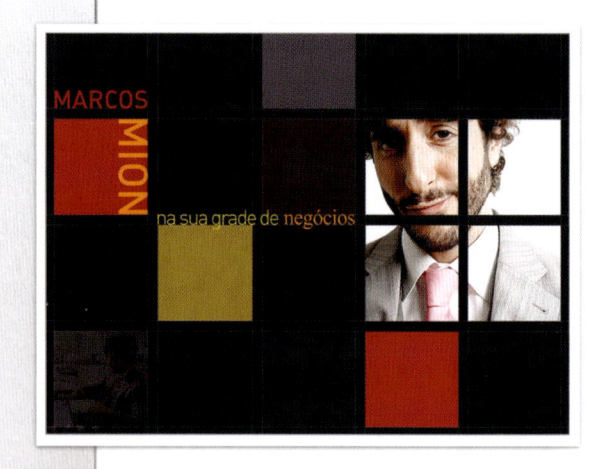

2. CONTEXTO

Em relação ao contexto em que será feita a apresentação, é importante obter algumas informações antes de iniciar a confecção de um roteiro:

Apresentação isolada ou em evento?

Em apresentações isoladas, costuma-se ter maior liberdade em relação à escolha do tema e à abordagem. No caso de apresentações inseridas em eventos, é importante criar um roteiro que faça sentido no contexto.

Recursos de apoio

Nas apresentações corporativas, são raras as ocasiões em que não se tem acesso a computadores com PowerPoint e projetor. De todo modo, especialmente se a apresentação estiver prevista para ambientes inusitados, vale a pena certificar-se dos recursos disponíveis. As apresentações devem ser encaradas de forma ampla e, além do PowerPoint, podem contar com outros materiais de suporte (discutiremos o assunto no Capítulo 5, O PowerPoint e outras ferramentas de apoio).

O tamanho da audiência

Sua apresentação será feita para cinco pessoas em uma sala de reuniões ou em um auditório para 2 mil pessoas? Em geral, apresentações para públicos restritos podem ser feitas em tom mais intimista, com uma abordagem mais pessoal. Além disso, como veremos no próximo capítulo, o tamanho do público também interfere em alguns aspectos do visual da apresentação, como dimensão das fontes e das imagens que ilustram os slides.

3. TEMPO

Ao preparar uma apresentação, estime seu tempo total de duração e as frações que serão reservadas para cada assunto. Em palestras e eventos, o cronograma costuma ser predeterminado. Já no caso de reuniões, é prudente, antes do início, perguntar aos envolvidos o tempo que eles têm disponível. Se um personagem-chave para a aprovação de um projeto estiver com pressa, acelere o discurso, omita alguns detalhes e garanta o desfecho da apresentação em sua presença. Caso os presentes peçam detalhamentos, da mesma forma, esteja apto para atendê-los. Muitas vezes, quem define o término de uma apresentação é a audiência. Quanto mais bem preparado você estiver, mais facilidade terá para atendê-los, sintetizando ou detalhando seu discurso.

Se o tempo predeterminado for maior que o necessário, não se estenda – reserve minutos finais para dúvidas e questões. Essa troca é sempre bem-vinda. Mesmo que não haja restrições de tempo, cuidado para não exagerar: apresentações demasiadamente longas são um pesadelo para qualquer audiência, a menos que o apresentador ou o conteúdo sejam extraordinários. Tenha em mente que uma boa ideia, sustentada por uma boa história, pode conquistar a adesão da audiência até mesmo em uma conversa no elevador.

EM UMA HORA DE CONVERSA, O CÉU SE ABRIU PARA A EMBRAER

Esta história se passou com o ex-ministro Ozires Silva, personagem-chave na fundação da Embraer, em maio de 1969. Após quatro anos dedicados ao desenvolvimento do avião Bandeirante, depois do sucesso nos projetos, na montagem e no voo inaugural, havia chegado a hora de Ozires Silva e seus companheiros de empreitada enfrentarem mais uma desafiante etapa. Quem se disporia a fabricar aquele avião?

Foram seis meses de apresentações constantes a empresários e indústrias de todos os setores. Em vão. Com capital privado, ninguém se dispunha a abraçar o desafio. Até que, em uma manhã de domingo de maio de 1969, em São José dos Campos, Ozires Silva foi chamado pelo operador da torre de controle do aeroporto local. Por causa de um nevoeiro, o presidente Costa e Silva desceria na cidade e Ozires Silva, então major da FAB, era a maior autoridade disponível para recebê-lo.

4. APRESENTADOR

É fundamental que a apresentação seja coerente com o perfil do apresentador. A pessoa que falará é séria ou desinibida? Ousada ou conservadora? Prefere manter uma postura discreta ou fazer de sua apresentação um *show off*?

Mesmo levando em conta o perfil da marca e da empresa representada, o traço pessoal do apresentador deve dar o tom à apresentação. Quanto mais à vontade ele estiver, mais natural e convincente será, e mais confiança passará ao público.

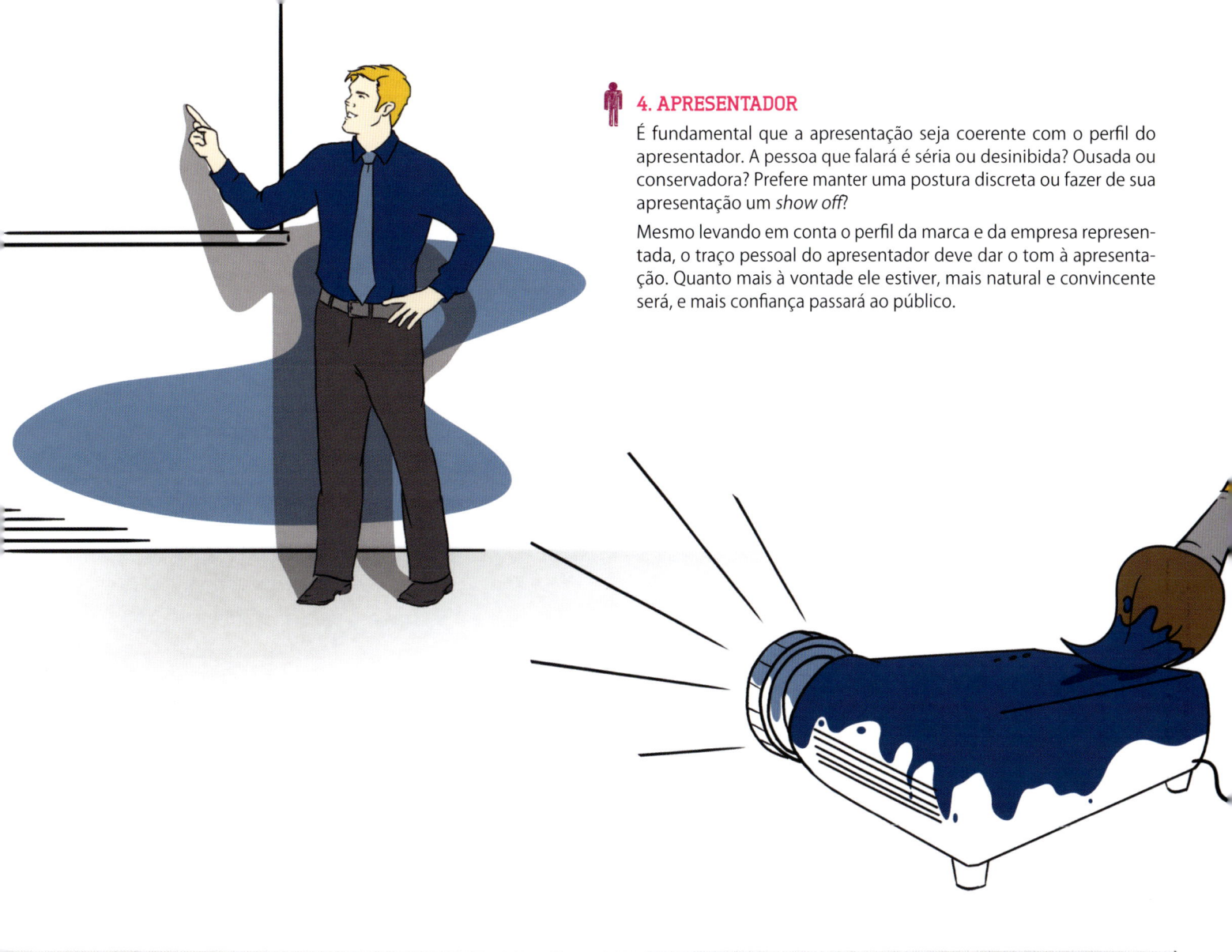

Em alguns minutos Ozires se preparou para repetir o discurso que tantas vezes havia proferido nos meses anteriores. Seria a lavagem cerebral da sua vida, a chance de convencer o presidente a criar uma empresa estatal que, enfim, fabricaria o Bandeirante. Em uma hora de conversa com ele, Ozires vendeu seu projeto de anos, o projeto dos sonhos. É claro que nenhum detalhe foi fechado naquele dia, mas não se passou um mês e Ozires foi chamado para uma reunião com vários ministros – eles se encarregariam da aprovação oficial.

A conversa com o presidente abriu caminho para uma segunda apresentação, o que em muitas ocasiões é uma grande conquista, um verdadeiro indício de sucesso. Anos depois, Ozires soube que os ministros estavam orientados para, nessa apresentação oficial, dizerem "sim" à criação da Embraer. A ideia já havia sido vendida na manhã do nevoeiro. A criação de uma fábrica de aviões foi aprovada, portanto, praticamente em um primeiro contato, ocorrido em meros 60 minutos.

A APRESENTAÇÃO QUE NÃO ACONTECEU

No início de 2003, um executivo da Madasa do Brasil preparava-se para uma reunião com investidores estrangeiros, na qual conversaria sobre a presença do energético Red Bull no Brasil. A reunião aconteceria no exterior e o objetivo do apresentador era propor mudanças na abordagem em relação ao produto. Ele queria apresentar o Brasil como um mar de oportunidades, mas pretendia dizer também que, para ganhar esse mercado, seria necessário modificar a estratégia então adotada.

Para apresentar sua ideia, o executivo se muniu de uma apresentação extremamente inovadora, com roteiro criativo e pensamento visual bastante elaborado. Havia muitas metáforas, imagens ousadas, em formato e com proposta que ele próprio havia adorado.

Apesar da aparente satisfação, o profissional embarcou com a apresentação em mãos e começou a se sentir inseguro em relação ao material. Temeu que a ousadia estivesse excessiva e na última hora retrocedeu, decidindo apresentar aos investidores um roteiro totalmente tradicional (no conteúdo e na abordagem) que tinha na manga. Nem as novas abordagens foram propostas.

A passagem revela a importância de o apresentador não apenas gostar de uma apresentação, mas também de incorporá-la. A ousadia é permitida e até mesmo desejada, contanto que esteja alinhada ao perfil daquele que fala, pois é esse alinhamento que deixará a pessoa à vontade e garantirá o sucesso de sua performance. Se alguém se dispuser a conduzir uma apresentação que fuja de seu perfil, o ideal é que treine repetidas vezes, até que incorpore o roteiro e se sinta seguro para se expor a uma audiência.

Essa é a apresentação customizada não apenas ao perfil da audiência, mas também em relação ao perfil do apresentador e ao tempo que ele terá para treiná-la.

5. OBJETIVO

Uma apresentação não deve ser vista como um fim, mas como um meio de conseguir um objetivo maior diante de determinado público. A definição clara do objetivo é um dos pontos mais importantes ao estruturá-la, e deve ser o ponto de partida para a definição da abordagem.

- Qual é a finalidade dessa apresentação?
- O que você pretende conseguir com ela?
- O que você quer que sua audiência pense, sinta e reflita?
- Que atitude você espera que a audiência tenha a partir desse evento?
- Para você, o que significa sucesso nessa apresentação?

Embora seja fundamental ter clareza sobre esses questionamentos, muitas vezes isso não acontece e as apresentações são montadas no escuro. Ao identificar o "estado atual" e o "estado desejado" em relação a determinado cenário, é possível estabelecer o objetivo da apresentação, seja a venda de um produto, a motivação de uma equipe, a conquista de parceiros para um projeto ou a comunicação de uma nova filosofia na empresa.

De modo geral, o objetivo da apresentação pode ser traduzido na identificação e no comprometimento da audiência com o conceito apresentado, o que, posteriormente, leva essa audiência a determinada ação. Um termo preciso? Adesão. Existem inúmeras formas de adesão e é dela, desse objetivo identificado, que deve brotar o tema da apresentação, aquele que servirá de base para o desenvolvimento de todo o roteiro.

Redigindo o roteiro

Feito o diagnóstico, é hora de desenvolver o roteiro em si, uma história fluida com começo, meio e fim – não necessariamente nesta ordem. A história deve ser didática, clara e informal, como um bate-papo em um café. E tem de mesclar razão, conteúdo, emoção e entretenimento.

Como cenas de um filme, o roteiro precisa ser composto por uma sequência de mensagens que conduza a audiência por uma experiência. A exemplo do cinema, essas cenas podem incluir momentos de clímax e pontos de virada, nos quais a história muda de rumo. Além disso, é importante que esse roteiro seja suficientemente atraente e coerente para que garanta:

- O interesse imediato da audiência.
- A manutenção da atenção.
- O entendimento das mensagens.

COMO NÃO FAZER

Fuja do modelo tradicional – e totalmente inadequado – de apresentações que revelam sequências de mensagens padronizadas, desconexas e inúteis para a audiência. Um exemplo? Por acaso você já entrou em um auditório e ouviu:
- Quem somos
- Nossos valores
- Nossa missão
- Nossos diferenciais
- Nossos produtos
- Cases de sucesso
- Clientes
- Blá-blá-blá...

Esqueça isso! Basear uma apresentação nos valores, missões e diferenciais da sua empresa é uma abordagem centrada na empresa e, portanto, equivocada. O centro do seu discurso deve ser a audiência. Missão, valores e diferenciais importam para quem faz parte da empresa e, ainda assim, se forem apresentados de outra forma. Uma sequência de dizeres não contextualizados é inevitavelmente cansativa e desinteressante. Portanto, se acontecer de você se pegar diante de uma tela com "nossos valores", "missão" e "diferenciais", feche o arquivo imediatamente e trate de repensar sua apresentação!

Cap. 1 – Roteiro   47

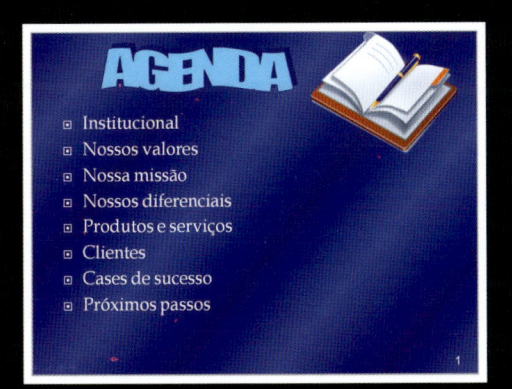

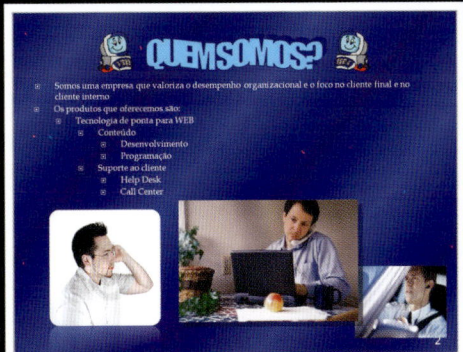

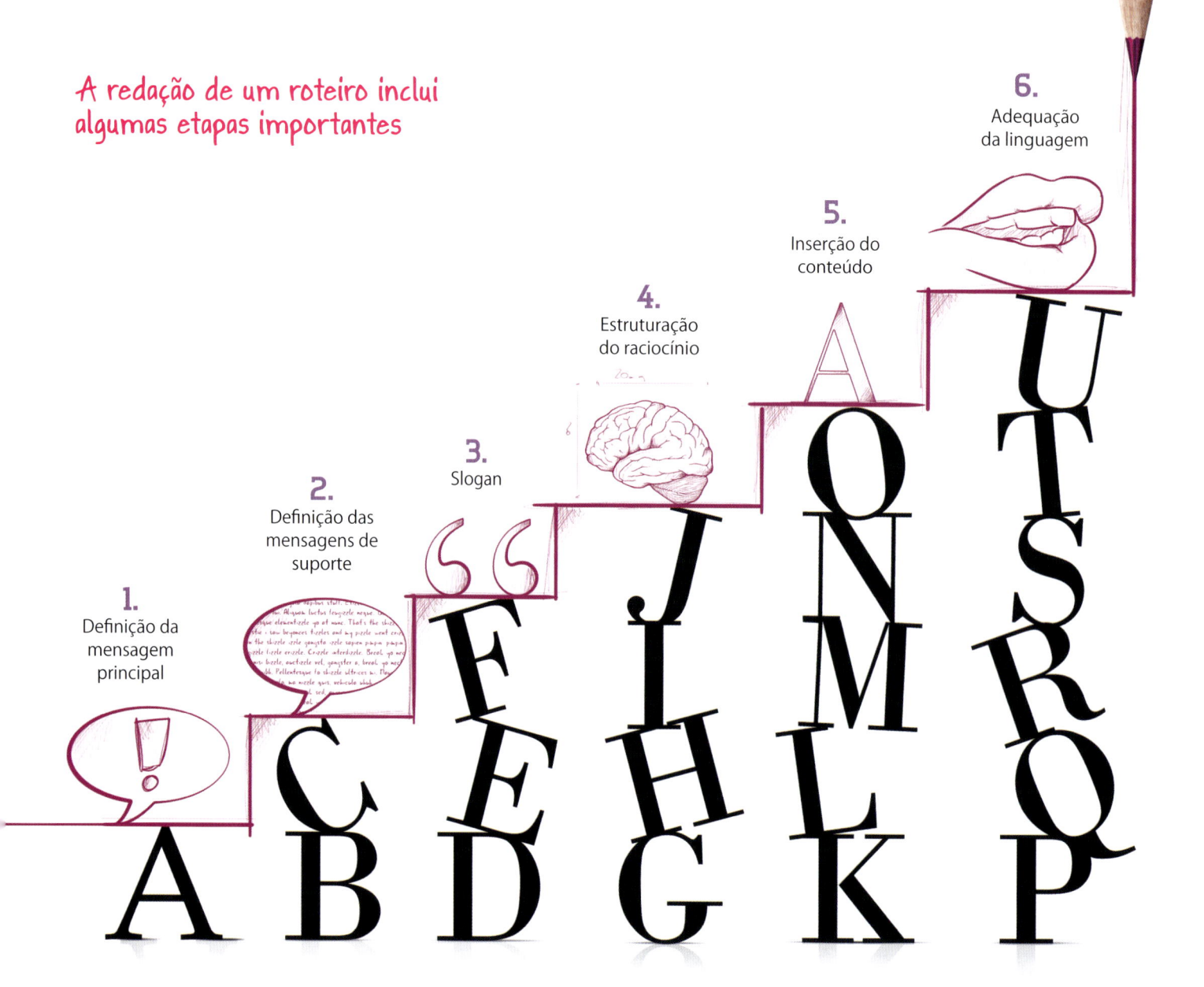

A redação de um roteiro inclui algumas etapas importantes

1. Definição da mensagem principal
2. Definição das mensagens de suporte
3. Slogan
4. Estruturação do raciocínio
5. Inserção do conteúdo
6. Adequação da linguagem

1. MENSAGEM PRINCIPAL

A mensagem principal de uma apresentação parte do objetivo definido no diagnóstico. Vamos considerar uma empresa de aspiradores automotivos que queira vender seus produtos para uma rede de lava-jato. O primeiro passo para a criação de um roteiro é definir sua mensagem principal, focada nos benefícios que seu produto pode proporcionar ao cliente. Em vez de enfatizar vantagens do tipo "Temos os aspiradores mais eficientes do mercado", a mensagem eficiente revela: "Nossos aspiradores permitem que você lave mais carros, no mesmo tempo e com mais qualidade". Nesse contexto, a eficiência de seu produto passa a fazer sentido para a audiência.

Para estabelecer a mensagem principal de uma apresentação, relacione as mensagens que pretende transmitir. Em seguida, defina uma única como principal. Por mais que você tenha uma coleção de diferenciais, lembre-se de apoiar seu discurso na maneira como eles podem melhorar a vida da audiência. As pessoas tendem a olhar o que as cerca pelo próprio ponto de vista e, por isso, é natural que uma abordagem direcionada aos seus benefícios seja mais eficiente que um holofote direcionado ao apresentador.

Não se esqueça disto: a audiência quer potencializar seus pontos fortes, amenizar suas dificuldades e beneficiar seus negócios – e é buscando isso que tantas vezes dedica parte de seu dia para ouvir uma apresentação. Note que em outras formas de comunicação o foco nos benefícios da audiência também tem sido praticado. Veja as campanhas publicitárias. O sabão em pó que lavava mais branco agora é o sabão em pó que facilita a sua vida – ele permite que você viva bem e que sua família se suje. Depois ele limpa – e limpa fácil! Enfim, tudo de bom pra você.

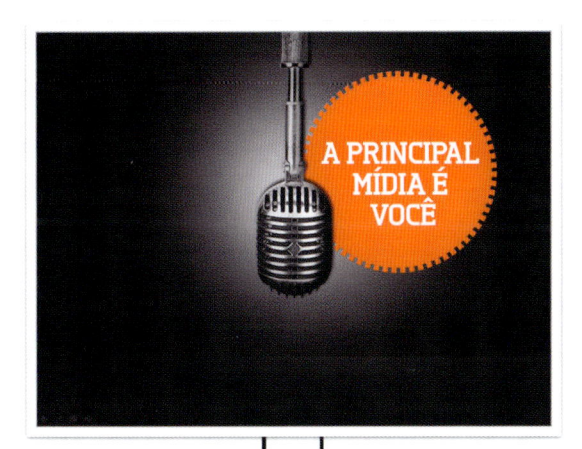

2. MENSAGENS DE SUPORTE

As mensagens de suporte ou de sustentação são mensagens secundárias que dão consistência à mensagem principal – são como argumentos a favor dela. Tomemos como exemplo um executivo de marketing de uma indústria farmacêutica. O profissional quer mostrar a um grupo de médicos um medicamento revolucionário, que cura determinado mal sem os efeitos colaterais dos medicamentos até então disponíveis no mercado. Se considerarmos como mensagem principal a possibilidade de os pacientes se curarem sem efeitos colaterais, podemos ter como mensagens de sustentação exemplos de males gerados pelos velhos medicamentos e suas consequências físicas e emocionais para os pacientes. Esses males valorizam a mensagem principal. São eles que tornam tão precioso o medicamento sem efeitos colaterais.

Dependendo do contexto, as mensagens secundárias podem ser positivas ou negativas. No caso de um pedido de verba para ampliação de uma fábrica, por exemplo, a mensagem principal pode ser a necessidade de aumento das instalações. Já as secundárias podem ser tão distintas quanto problemas de produção que vêm acontecendo por falta de infraestrutura ou o fato de o governo estar oferecendo incentivos naquele momento para empresas do setor.

Ao escolher uma mensagem secundária é importante observar se ela de fato contribui com o fortalecimento da principal e com a conquista da adesão por parte da audiência. A mensagem principal deve servir como pano de fundo para a escolha das secundárias. Caso identifique mensagens secundárias que não estejam a serviço da principal, avalie se são mesmo relevantes e se precisam constar na apresentação.

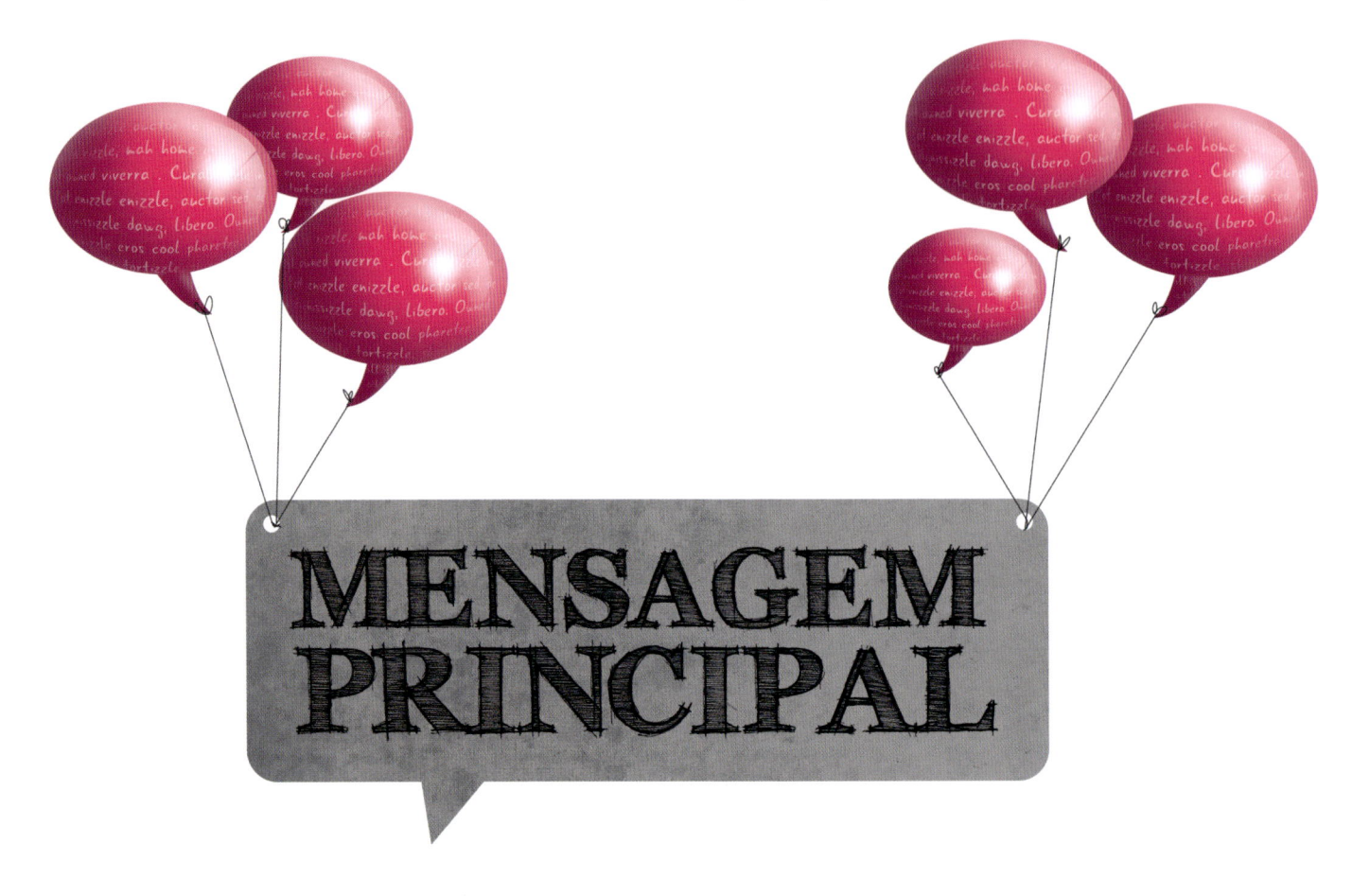

3. SLOGAN

Toda apresentação deve ter um slogan ou um tema. Utilizado em citações sobre a apresentação (convites, comunicados, divulgação etc.), ele deve aparecer em algum momento da introdução. Esse slogan sintetiza a mensagem principal e revela esse propósito para a audiência. Fazendo um paralelo com outras mídias, como um artigo de revista ou jornal, o slogan seria o título ou a chamada da matéria.

Considerando o destaque que recebe, o slogan da apresentação é um forte candidato a ficar na memória de sua audiência. Elabore-o, portanto, com os termos e conceitos que gostaria de deixar associados a sua marca, ideia ou produto. Uma boa apresentação é percebida não apenas pela reação das pessoas no momento em que a assistem, mas também no dia seguinte, nas lembranças que deixa na audiência. Nessa hora, um bom slogan faz diferença.

- Construtora Gafisa – "Mais concreto impossível".
  O objetivo da apresentação era falar da concretude das ações e também dos vários tipos de concreto que fazem parte das construções.
- Microsoft – "É hora de acelerar".
  Slogan de uma apresentação dirigida a clientes da Microsoft, com o intuito de marcar o início de um período de otimismo e investimentos logo depois da crise de 2008.
- Uma seguradora – "A noiva não apareceu, viva o noivo!".
  Uma seguradora esteve prestes a ser comprada pelo maior grupo do seu mercado. O negócio acabou não acontecendo e, em uma apresentação interna, foram expostas as vantagens de a compra não ter se concretizado. A boa vida do noivo após a fuga da noiva foi a metáfora que permeou a apresentação.

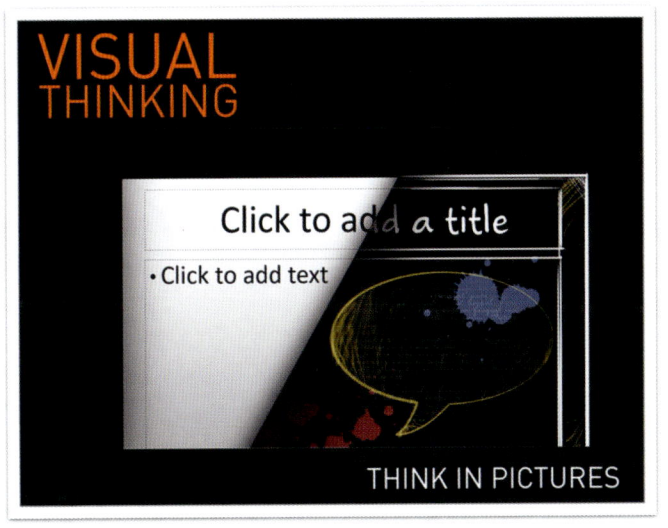

4. ESTRUTURAÇÃO DO RACIOCÍNIO

Ao estruturar o raciocínio de uma apresentação, você cria um encadeamento lógico de ideias que culminam em determinada conclusão. A sequência ao lado, composta por alguns slides extraídos de uma apresentação feita pela agência portuguesa de publicidade Normajean, ilustra bem essa etapa. Atenção ao modo como as informações passadas na apresentação conduzem o pensamento da audiência.

Muita gente pensa que os pinguins são todos iguais.

Mas existem pinguins bastante diferentes entre si.

Muita gente pensa que as agências de publicidade são todas iguais. Mas, assim como os pinguins, existem agências bem diferentes entre si.

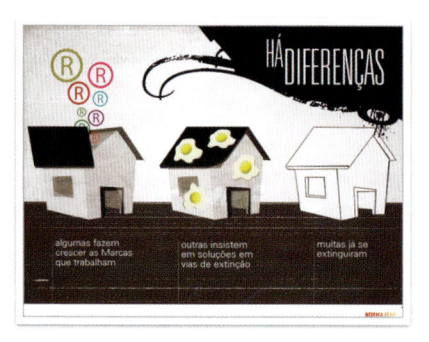

Daí em diante, o apresentador começa a citar diferenças entre as agências – e está aberto o caminho para que aponte as particularidades da Agência Normajean.

5. INSERÇÃO DO CONTEÚDO

Depois de criada a história que servirá de fio condutor para a apresentação, é chegada a hora de inserir nela o conteúdo de sustentação. Formado por números, dados, casos de sucesso e outras informações relevantes, esse conteúdo servirá de argumento para sustentar as ideias e mensagens do roteiro.

Um conteúdo impactante e convincente precisa ser consistente, objetivo e conciso, características alcançadas com rigorosa seleção do que será apresentado. Para selecioná-lo, em vez de focar nos dados disponíveis em seus arquivos, o apresentador deve avaliar as mensagens determinadas no roteiro – e aí sim levantar os dados relevantes para sua sustentação.

Imagine os executivos de uma fábrica paranaense apresentando para os acionistas a proposta de construção de uma nova unidade no interior paulista, onde se concentra seu maior mercado. Os custos com transporte e prejuízos decorrentes de roubo de cargas, por exemplo, representam um conteúdo que fortalece a mensagem "a empresa se beneficiará com a construção de uma unidade nas proximidades da capital paulista".

Dados e números no conteúdo

Já sabemos que as pessoas absorvem muito melhor uma boa história que uma avalanche de dados. Números jogados a esmo em meio a um discurso acabam se configurando como uma montanha de dados – e se algum deles tiver verdadeira importância, correrá o risco de passar despercebido. Caso você tenha pilhas de números para transmitir à sua audiência e nenhuma boa história para contar, é preferível cancelar a reunião e enviar tudo por e-mail. A audiência certamente terá mais tempo para analisar esses dados.

Qualquer pessoa comum não é capaz de memorizar dezenas de números rapidamente apresentados. Informações com esse caráter são cansativas, vagas e desinteressantes. Mesmo em apresentações de resultados financeiros, é aconselhável fugir da listagem deliberada de tabelas e planilhas – o melhor é, no contexto de uma história, inserir e destacar apenas os números mais importantes. Se os números realmente necessários forem vários, vale a pena entregar à audiência um documento à parte.

Dados e números relevantes devem ser expostos de maneira enxuta, didática e atraente. Sem perder o foco de que, mesmo em apresentações de resultados, eles não devem ser um fim, mas um meio para revelar algo maior.

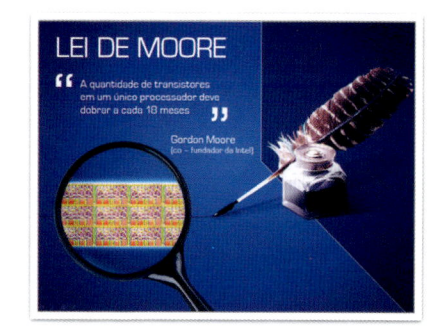

Gordon Moore acreditava na velocidade e no impacto das mudanças nos processadores.

E ele acertou. Os fatos confirmaram sua previsão. A Intel foi protagonista dessa realidade.

Um jeito de entender a grandiosidade desta transformação é pensar que dentro de um vírus da gripe cabem dois transitores da Intel.

Portanto, a visão de Moore se tornou uma inspiração para tudo que a Intel faz.

6. ADEQUAÇÃO DA LINGUAGEM

Fuja dos discursos rebuscados e cheios de clichês. Tanto nos slides quanto no discurso prefira uma linguagem coloquial, cotidiana e concisa. Tenha claro que o objetivo da linguagem não é revelar suas competências literárias, mas garantir que as mensagens sejam compreendidas pela audiência com facilidade e sem distorções.

Imagine um Steve Jobs rebuscado...

"Bom dia, senhores, meu nome é Steve Jobs e estou aqui para demonstrar o valor agregado de mais uma solução da Apple. Nosso *unique value proposition* está alinhado com a estratégia macro da companhia de curto, médio e longo prazos. Focados nesta premissa e sempre comprometidos com a satisfação de nossos clientes, apresento a vocês um produto inovador e especial que pode mudar a forma como as pessoas se relacionam com telefonia, entretenimento e informações. Eu me refiro, meus caros, ao produto denominado iPhone."

Agora confira o autêntico Steve Jobs:

"Hoje vamos apresentar três produtos revolucionários. O primeiro é um iPod com *widescreen* e *touch controls*. O segundo é um celular revolucionário. E o terceiro é um fantástico dispositivo de comunicação via internet. [...] Não se trata de três dispositivos separados. Isso é um único dispositivo, que chamamos de iPhone."

Estratégias para elevar a atenção da audiência

Manter dezenas ou centenas de mentes concentradas em uma apresentação tem lá seus desafios. Acomodadas nas poltronas do auditório, as pessoas precisam despender energia para manter o foco e a capacidade de abstração para poder acompanhar o raciocínio do apresentador. Se uma história não se mostrar atraente, se o discurso for monótono, confuso ou mesmo previsível, bastam segundos para a audiência se dispersar. Assim como um público de cinema, a audiência, sem sair do lugar, sintoniza o controle mental em outra estação e se distancia das cenas principais.

Tal qual um roteirista, portanto, o apresentador tem como primeiro desafio criar uma história que desperte e mantenha a atenção da audiência. Para isso, uma das grandes sacadas é surpreender, revelar o inesperado e finalmente tocar, sensibilizar quem o assiste. Por mais que trate de negócios, uma apresentação precisa sensibilizar e emocionar a audiência.

Uma boa estratégia é, ao longo da narrativa, dosar razão e emoção, conteúdo relevante e descontração. Para isso, o apresentador pode contar com diversos recursos narrativos utilizados em outras mídias e canais de comunicação.

Direto ao ponto	Surpresa	Questionamento
Metáfora	Conflito X Solução	Drama
Suspense	Humor	Tom provocativo

DIRETO AO PONTO

Em uma apresentação que vai direto ao ponto, o apresentador revela sua mensagem principal nos primeiros minutos do discurso; depois disso, expõe os argumentos relacionados a essa mensagem, sustentando os pontos principais. São diversas as situações em que ir direto ao ponto funciona, mas um contexto específico em que esta estratégia se revela eficiente é em reuniões com tempo escasso, comuns com altos executivos, presidentes de empresas e pessoas de agenda muito atribulada.

É frequente esses executivos não terem mais de 10 minutos disponíveis para uma reunião, sem contar eventuais imprevistos que podem obrigá-los a se ausentar repentinamente. Se o apresentador optar por colocar a principal mensagem no último slide ou nos minutos finais da apresentação, ele corre o risco de perder sua audiência principal antes de chegar ao ponto alto do seu projeto, ideia ou produto. Indo direto ao ponto, mostrando logo a sua conclusão, o apresentador garante a exposição do que estabeleceu como prioridade. A estratégia é boa. Funciona.

Não é só nesse caso em que ir direto ao ponto dá certo. A estratégia se mostra eficiente em diversas situações. Pode ser usada quando a pessoa que vai ouvir já conhece o tema a ser tratado e existe o objetivo de se aprofundar mais no assunto. Também é eficiente quando os ouvintes são sabidamente ansiosos e inquietos ou quando uma notícia ruim precisa ser revelada – nesse caso, é positivo ir direto ao ponto e dedicar o restante do tempo a breves justificativas e propostas de reverter o cenário. Enfim, trata-se de um recurso narrativo bastante adequado em vários contextos.

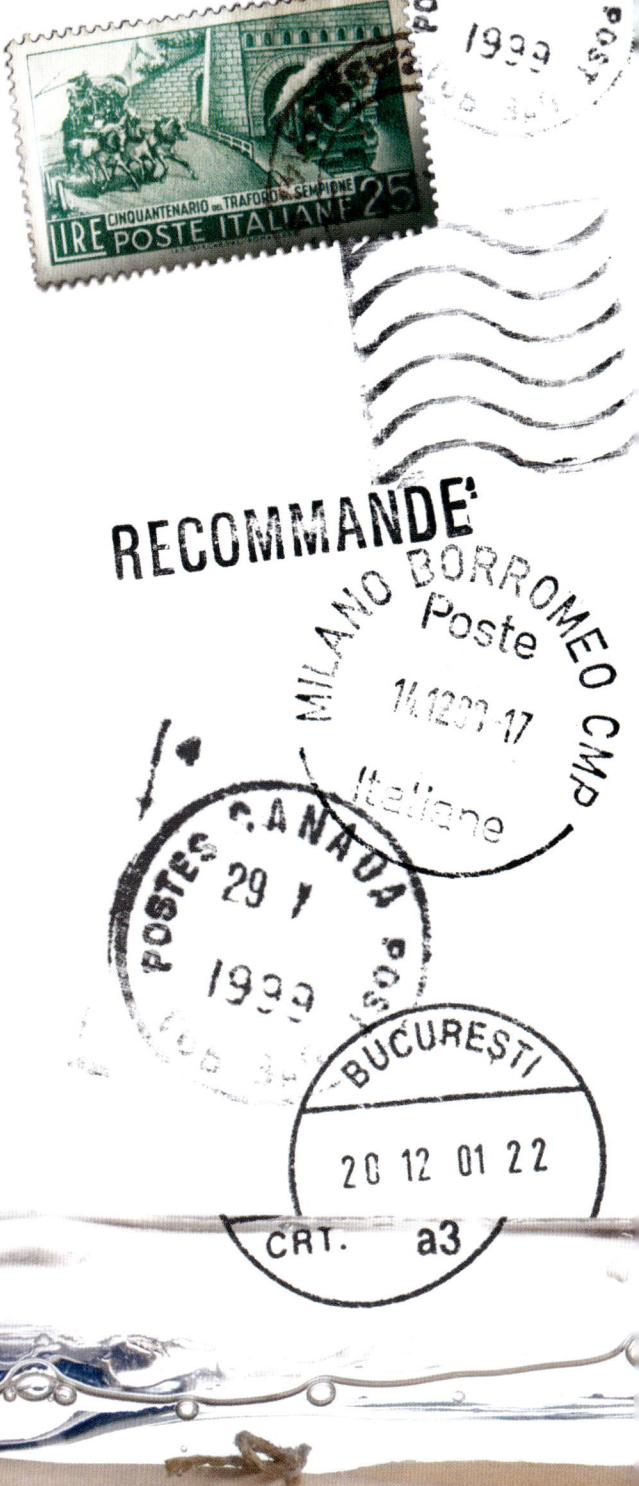

METÁFORA

A metáfora é a expressão de uma ideia com base em analogias. Consiste em um raciocínio paralelo usado para explicar determinado conceito. Oposta ao literal, conduz a audiência a um pensamento capaz de despertar a atenção e de aumentar as chances de memorização e entendimento de informações. Muitas vezes, a comunicação é feita não apenas com o consciente da audiência, mas também com seu inconsciente. Em temas densos, torna as apresentações mais leves. Mostra-se adequada especialmente quando a audiência é leiga em relação a um assunto e existe a necessidade de transmitir conceitos técnicos. Trata-se de uma excelente estratégia para facilitar o entendimento. Quando bem empregadas, as metáforas são capazes de criar identificação entre uma audiência e um tema, por mais distantes que possam estar.

NO AUGE DA METÁFORA

Um dos mais importantes eventos realizados anualmente pela Microsoft é o Fórum Soluções, do qual participam clientes importantes, como diretores de TI e CIOs de grandes empresas do país. O objetivo do evento é mostrar como a tecnologia pode ajudá-los no crescimento e gerenciamento dos negócios.

Em 2009, o evento aconteceu em um momento de otimismo, retomada de crescimento e de investimentos, após a crise econômica do ano anterior. A Microsoft queria enfatizar para seu público esse momento de reaquecimento e escolheu como tema "É HORA DE ACELERAR!", retratado na metáfora da Fórmula 1.

Na prática, as mensagens de todas as apresentações do Fórum respeitaram esse DNA. Mesmo que conduzidas por diferentes personagens, as palestras se apoiaram em conceitos da Fórmula 1. A metáfora foi aplicada em todo o evento, que contou, inclusive, com uma palestra do piloto Ingo Hoffmann.

A ambientação também ganhou destaque. Em vez de reunir os participantes no auditório de um hotel, a Microsoft foi até seis cidades estratégicas e, em cada uma delas, montou o cenário de uma corrida de carros. Ousando na forma, a empresa não permitiu que seus clientes desacelerassem suas agendas e entregou as mensagens em suas respectivas cidades.

O evento volante percorreu 4,7 mil quilômetros de estradas em uma carreta de 16 metros de comprimento, semelhante às de Fórmula 1. Na ocasião dos eventos, a carreta se transformava em uma sala equipada para a realização das apresentações. A última etapa do evento aconteceu na cidade de São Paulo. O endereço? O autódromo de Interlagos.

ACELERANDO O EVENTO

A opção de levar o Fórum Soluções até diversas cidades do Brasil foi uma resposta à dificuldade de os executivos se ausentarem das empresas por um período prolongado. Pensando nisso, o evento de 2009 ainda foi mais enxuto que as edições anteriores e reduziu as oito horas de conteúdo de 2008 para apenas três horas. "Isso foi muito positivo, porque nos obrigou a sermos cirúrgicos ao levar para o CIO aquilo que ele queria saber: como a tecnologia pode ajudá-lo em seu negócio", resumiu Michel Levy, presidente da Microsoft Brasil.

Expressando clara maturidade, a empresa levou a metáfora ao auge. Com o uso do lúdico e do entretenimento, despertou a atenção, surpreendeu, fez brilhar os olhos da audiência e criou uma nítida conexão emocional com os presentes. Inovando na forma, possibilitou a entrega da mensagem para mais clientes, e garantiu a transmissão e a memorização dos conceitos a que se propôs propagar.

👁 SUSPENSE

O suspense é uma maneira de prender a atenção da audiência, criar expectativa para determinada notícia. Convém utilizá-lo apenas quando se tem uma boa notícia para divulgar, seja um resultado positivo, uma vitória diante da concorrência, uma premiação interna ou bonificação. "Tivemos um ano muito difícil, as expectativas eram ruins, mas nosso resultado foi ótimo" – um cenário desses é perfeito para o suspense. Este recurso também pode ser bem empregado em outras situações, como convenções de vendas e lançamentos de novos produtos. Se a notícia for negativa, entretanto, trata-se de uma péssima opção.

A APRESENTAÇÃO MAIS CHATA DO MUNDO

Aconteceu em 2009, no Conarec (Congresso Nacional de Relacionamento Empresa-Cliente), em São Paulo. Representando a SOAP, fui ao evento fazer uma palestra sobre apresentações. Para começar, decidi mostrar ao público como não fazer uma apresentação. O bom da história é que não revelei que faria uma sátira. Com toda a seriedade possível, comecei a fazer "a pior apresentação do mundo".

Subi ao palco carregando um retroprojetor e expliquei ao público que aquilo era só por precaução, caso o equipamento não funcionasse. Comecei minha apresentação mostrando slides grotescos. Dizeres em letras garrafais douradas invadiam a tela toda, seguidas de fotos que cobriam parcialmente os títulos. Falei dos valores da minha empresa, salientando que acreditávamos em inclusão – logo mostrei a foto de uma idosa, afirmando que qualquer um poderia fazer uma boa apresentação, independentemente da idade: "A SOAP acredita no potencial da terceira idade para fazer apresentações".

Passei outras informações igualmente inúteis e não demorou muito para meu celular tocar – "Não posso falar agora, estou em uma palestra", respondi baixinho, obviamente em volume audível para todos os presentes. Mostrei mais alguns slides horríveis e expus mais informações irrelevantes, incluindo fotos do prédio em que estamos sediados. Depois de alguns minutos nessa lenga-lenga, abri espaço para perguntas. O auditório ficou em silêncio, ouviam-se alguns risos em baixo volume, ninguém entendia direito o que estava acontecendo...

E eis que, de repente, o apresentador Marcos Mion subiu ao palco com um taco de beisebol nas mãos! Virou-se para mim e perguntou: "Aonde você quer chegar com essa apresentação ridícula?!". Em seguida, assim como fazia em seu programa Piores Clipes, Mion começou a repassar os slides que eu havia mostrado, apontando vários absurdos referentes à forma e ao conteúdo.

A surpresa foi geral, os risos também. O impacto foi forte e, certamente, houve alto índice de retenção das mensagens transmitidas. Depois de alguns minutos apontando absurdos na minha apresentação inicial, Mion me devolveu a palavra e se despediu. "Vocês viram como não fazer. Agora o Joni vai mostrar a vocês como fazer." Dei então sequência à apresentação, dali em diante com sugestões reais referentes a boas apresentações.

J. G.

SURPRESA

Por mais que uma audiência esteja interessada em uma apresentação, é normal que perca a atenção por alguns instantes. Grande aliado em apresentações, o fator surpresa atua contra essa reação natural das pessoas, desperta o interesse e mantém a atenção da audiência. Pode ser algo inusitado, uma revelação, uma imagem divertida ou passagens atraentes em geral. Na medida em que as pessoas notam que um apresentador é capaz de surpreendê-las, elas criam uma expectativa sobre o que está por vir e focam no discurso, certas de que algo inusitado pode voltar a acontecer.

CONFLITO X SOLUÇÃO

O escritor norte-americano William S. Burroughs (1914-1997) era taxativo: segundo afirmava, sem conflito não havia história. Talvez estivesse mesmo certo. Na imprensa, a realidade é exatamente essa – jornal nenhum publica na primeira página notícias de aviões que pousaram tranquilamente.

Respeitando essa lógica, situações de conflito podem ser benéficas em histórias que permeiam apresentações. Basta chamar a atenção da audiência para determinado problema, envolvê-la em alguns de seus pormenores ou consequências e, finalmente, mostrar-lhe uma solução. O conflito bem formulado capta o interesse das pessoas e valoriza o que se pretende destacar. O próprio Steve Jobs, ao divulgar novidades da Apple, muitas vezes recorre a esse recurso narrativo, que pode marcar todo o roteiro de uma apresentação ou apenas pequenas passagens.

HUMOR

As pessoas raramente saem de nariz torcido de uma apresentação que lhes arrancou risos. O humor gera um envolvimento emocional que, sabidamente, aumenta as chances de os ouvintes memorizarem as mensagens transmitidas. Se praticado adequadamente, o humor é bem-vindo em qualquer tipo de apresentação, mesmo que tenha um contexto absolutamente formal. Não se trata de contar piadas, mas de inserir passagens divertidas no contexto do conteúdo que está sendo transmitido.

Apesar dos indiscutíveis benefícios do humor, atenção: não adianta você tentar ser engraçado se esse não for o seu estilo. Como em toda interação humana, a espontaneidade tem de ser mantida. O humor funciona bem com pessoas naturalmente engraçadas – com elas, uma simples mudança de entonação já é capaz de gerar risos.

Independentemente das gargalhadas dos ouvintes, é importante fugir de ironias contra a audiência, produtos, empresas ou grupos sociais, pois colocações desse tipo podem depor contra o apresentador. Para fugir de eventuais inconvenientes, uma boa alternativa é praticar a autoironia. Ao se expor e brincar com suas fragilidades, o palestrante faz uma ponte com a audiência, estreita o canal de comunicação e cria empatia.

Para uma pessoa que não se sente à vontade fazendo humor e que ainda assim quer inserir trechos bem-humorados em uma apresentação, uma alternativa é lançar mão de algum material de apoio (coerente com o roteiro, obviamente). Vídeos ou imagens engraçadas, por exemplo, podem arrancar risos da plateia, seja qual for o estilo do apresentador. É uma forma de o material de apoio imprimir ao momento um tom que o apresentador não se sente à vontade para expressar.

STAND-UP PRESENTATION – A FORÇA DO HAHAHA E DO AHHA!

O sucesso dos mais diversos gêneros de comédia confirma: leveza e entretenimento atraem, geram interesse, prendem a atenção e despertam o envolvimento emocional da audiência. São os riscos e as surpresas, os hahahas e os ahhas!, capazes de beneficiar qualquer forma de comunicação. Pensando nisso, ao estruturar uma palestra para fazer em nome da SOAP na edição de 2010 do Conarec (Congresso Nacional das Relações Empresa-Cliente), optamos por aliar o conceito de apresentações no estado da arte ao de *stand-up commedies*. O resultado? Uma *stand-up presentation*!

Meu objetivo era transmitir uma série de parâmetros relacionados a apresentações de qualidade. Subi ao palco, mostrei alguns vídeos e comecei meu discurso. Em determinado momento, chamei dois convidados que dali em diante me ajudariam a conduzir o evento: eram os comediantes Warlei Santana, do programa CQC, e Mendigo, da Rede Record. Ali se iniciaria a tal *stand-up presentation*.

A simples chegada dos comediantes já despertou o interesse do público e imprimiu nos presentes uma expectativa extra. Os olhares se fixaram no palco, à espera da sequência de tiradas que logo se iniciaria. Entre uma e outra interação criada apenas para descontrair, havia várias que revelavam mensagens sobre a elaboração de boas apresentações. Em meio a risos, a plateia ia mergulhando na performance e absorvendo quase que espontaneamente os conceitos transmitidos.

A maioria das ideias então expostas aparece nas páginas deste livro. Falei da importância de cada apresentação ter uma mensagem principal, expliquei o papel do apresentador como mídia, enfatizei a relevância dos benefícios do cliente como base de um discurso. Além disso, tendo feito uma *stand-up presentation*, dei ênfase à maneira como uma comunicação bem-humorada gera um envolvimento emocional – e procurei mostrar, de forma muito concreta, o impacto desse recurso sobre a audiência.

J.G.

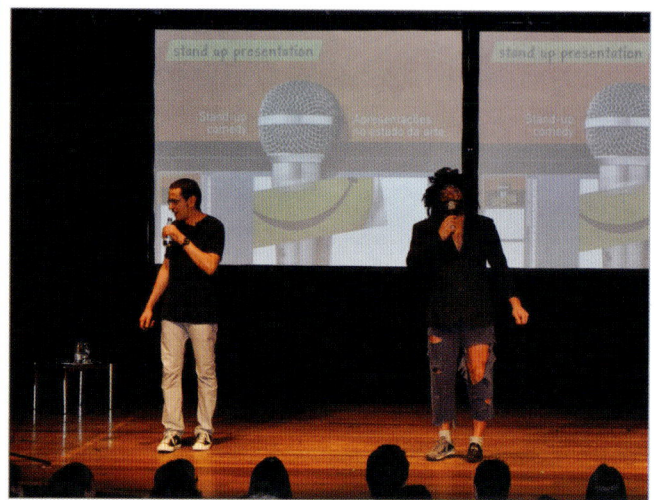

QUESTIONAMENTO

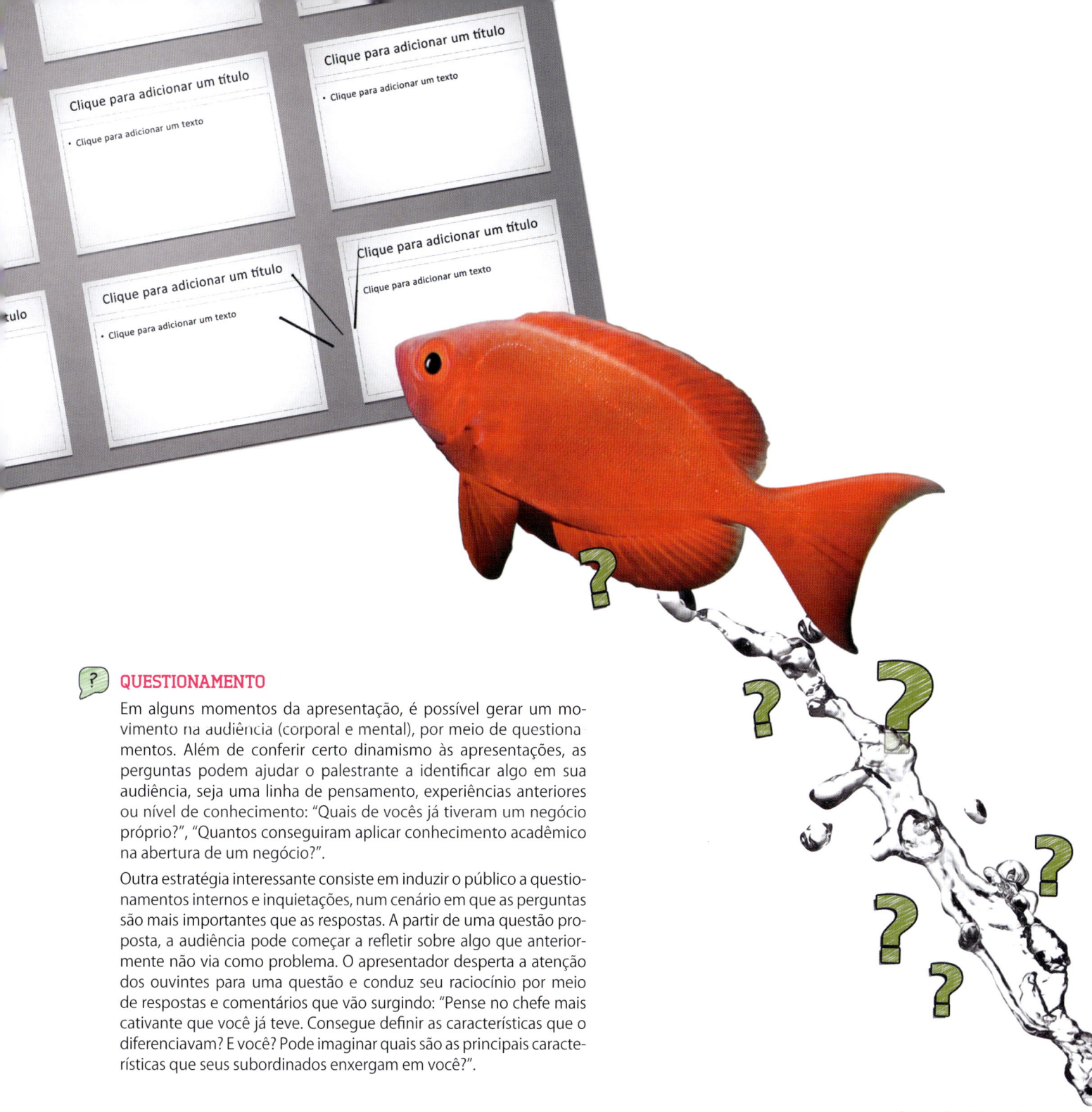

Em alguns momentos da apresentação, é possível gerar um movimento na audiência (corporal e mental), por meio de questionamentos. Além de conferir certo dinamismo às apresentações, as perguntas podem ajudar o palestrante a identificar algo em sua audiência, seja uma linha de pensamento, experiências anteriores ou nível de conhecimento: "Quais de vocês já tiveram um negócio próprio?", "Quantos conseguiram aplicar conhecimento acadêmico na abertura de um negócio?".

Outra estratégia interessante consiste em induzir o público a questionamentos internos e inquietações, num cenário em que as perguntas são mais importantes que as respostas. A partir de uma questão proposta, a audiência pode começar a refletir sobre algo que anteriormente não via como problema. O apresentador desperta a atenção dos ouvintes para uma questão e conduz seu raciocínio por meio de respostas e comentários que vão surgindo: "Pense no chefe mais cativante que você já teve. Consegue definir as características que o diferenciavam? E você? Pode imaginar quais são as principais características que seus subordinados enxergam em você?".

DRAMA

Embora não seja muito comum em apresentações corporativas, há situações em que o drama é uma estratégia eficiente, especialmente quando se deseja alertar a audiência sobre um risco, deixá-la apreensiva em relação a algo.

Imagine que um executivo acredite que uma conduta sugerida pelos acionistas esteja pondo em risco o principal produto de uma empresa. Em uma reunião de diretoria, ele recorre a uma estratégia dramática, expondo consequências negativas que podem surgir a partir da conduta em questão. Depois de revelado o drama, o executivo entra com uma proposta de mudança de abordagem, de modo que o drama se torna o argumento de sustentação de sua proposta. Um exemplo bem concreto em que uma narrativa dramática pode se mostrar eficiente é na conscientização de uma equipe sobre procedimentos de segurança: destacando consequências de eventuais imprudências, é possível sensibilizar a audiência e incentivá-la a uma mudança de comportamento.

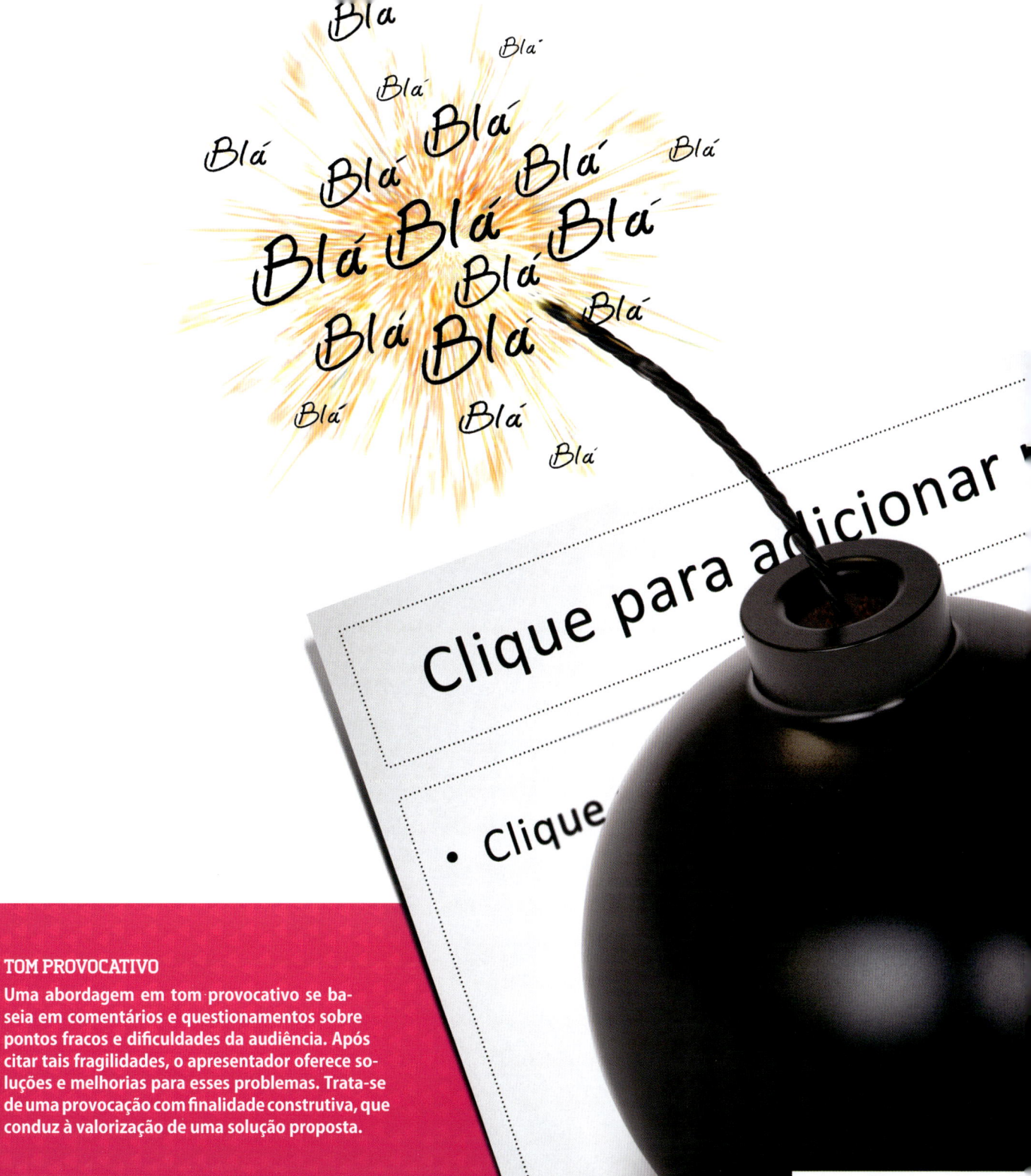

TOM PROVOCATIVO
Uma abordagem em tom provocativo se baseia em comentários e questionamentos sobre pontos fracos e dificuldades da audiência. Após citar tais fragilidades, o apresentador oferece soluções e melhorias para esses problemas. Trata-se de uma provocação com finalidade construtiva, que conduz à valorização de uma solução proposta.

UMA COISA É ATIVAR A MARCA, OUTRA COISA É ATIVAR A EMOÇÃO!

Seu nome é Adir Assad e ele é presidente da Rock Star, empresa especializada em marketing e entretenimento. Especialista em ativar emoções, Assad atua no mercado de *branded entertainment*, focado no fortalecimento de marcas, fazendo uso de conexões emocionais. Na prática, consideramos *branded entertainment*, por exemplo, a iniciativa de o Bradesco trazer o Cirque du Soleil para o Brasil, associando seu nome às várias qualidades do espetáculo e às emoções que ele desperta no público.

Certa ocasião, convidado a fazer uma apresentação para alunos da Fundação Getulio Vargas, em São Paulo, Adir Assad criou uma palestra na qual definiu precisamente suas percepções: "Uma coisa é ativar a marca, outra coisa é ativar a emoção".

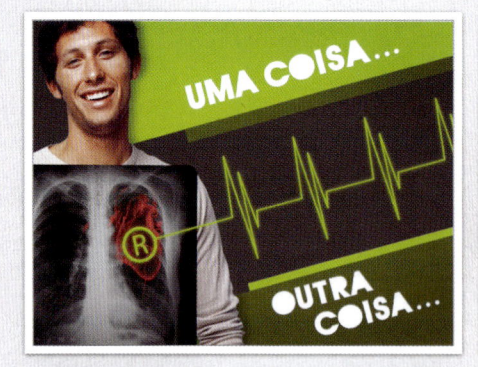

Assad chamou a atenção para o fato de passagens surpreendentes gerarem momentos mágicos e inesquecíveis, acompanhados de frio na barriga, disparo no coração e brilho nos olhos da audiência. Emoções que, em suas palavras, são o que todos buscam.

Em muitas ocasiões, os conceitos de Assad podem ser empregados nas apresentações. Se um relatório de vendas não precisa emocionar, uma apresentação que tenha o intuito de motivar uma equipe deve, sim, sensibilizar as pessoas. Nesse caso, é importante que o evento seja elaborado de modo a se tornar inesquecível e ficar efetivamente marcado na audiência.

Durante toda a sua apresentação, Assad se esmerou em ativar as emoções de quem o assistia. Arrancou risos e reflexões dos presentes.

Então, a alguns minutos do encerramento da apresentação, disse que sabia fazer uma coisa. "Querem ver?", perguntou à audiência. Nesse momento, apagaram-se as luzes e o som começou. Era um ritmo alucinante, conduzido por sete músicos do Groove Samba, acompanhados de um DJ.

A luz logo se acendeu, a surpresa foi geral, e a performance seguiu por mais alguns minutos. Assad criou um momento memorável, ativou as emoções dos presentes, e conseguiu ótimas impressões associadas à sua marca. De quebra, ilustrou de maneira muito concreta todos os conceitos que havia transmitido durante a apresentação.

A PRIMEIRA IMPRESSÃO É A QUE FICA

Assim como os minutos iniciais de um filme ou os primeiros capítulos de uma novela, o começo de uma apresentação tem extrema importância. Como qualquer primeira impressão, é o gatilho da empatia ou do desinteresse imediato por parte da audiência.

No discurso, portanto, o apresentador tem de entrar com algo impactante, que desperte o interesse das pessoas para o que está por vir. Ele pode, por exemplo, usar um dos recursos narrativos vistos neste capítulo, como uma metáfora, uma provocação ou um questionamento. Qualquer uma das ferramentas pode ser adequada, contanto que revele algo impactante, de preferência inesperado, e que faça brilhar os olhos da audiência.

Assim como o discurso, a primeira tela da apresentação também precisa ter seus atrativos. No primeiro momento, é bom fugir da agenda ou das tradicionais telas com nome do apresentador e data ou, pior ainda, com o título "Apresentação". Além de essas serem maneiras um tanto burocráticas de começar uma apresentação, elas representam total desperdício de um espaço nobre que pode ser usado para transmitir algo relevante. É preferível usar o slide inicial para o slogan da apresentação ou para uma tela de descanso com algum conceito, pergunta ou imagem que evoque uma expectativa positiva na audiência, aproximando-a do tema que será tratado.

As partes de uma apresentação

À maneira de um filme, uma apresentação deve ter diferentes partes. Ela começa por uma introdução, na qual é exposto o tema, segue com o desenvolvimento da ideia (parte central da apresentação), e, no final, traz um desfecho ou conclusão. Tal qual em um filme, este "início, meio e fim" também pode ser chamado de ato 1, ato 2 e ato 3 – e tem algumas particularidades que discutiremos a seguir.

UM BOM COMEÇO

No início da apresentação deve ser indicado o tema ou slogan. Isso pode ser feito nos primeiros segundos de fala ou após uma breve introdução, conforme for definido no roteiro. O slogan deve ser conciso e coerente com o objetivo da apresentação. Embora na maioria das vezes revele claramente esse propósito, há situações em que pode deixar no ar um questionamento para a audiência, uma expectativa a ser esclarecida nos atos seguintes. São caminhos bem distintos entre si e ambos podem funcionar muito bem.

O CORPO E A SUSTENTAÇÃO DA APRESENTAÇÃO

O ato 2 é o desenvolvimento do argumento, a sustentação do conceito apresentado na introdução. Essa etapa, que representa cerca de 90% do tempo de uma apresentação, inclui as várias partes ou capítulos da palestra e deve ser baseada em uma história que responda às seguintes perguntas:

- Quem? (ou O quê?)
- Quando?
- Onde?
- Quanto?
- Como?
- Por quê?
- Para quê?

A ordem e a maneira como essas perguntas são respondidas é o que diferencia um roteiro de outro, uma história de outra.

Vale dizer que no ato 2 é comum os apresentadores fazerem subdivisões. Se você vai expor as características de um novo produto para sua equipe de vendas, por exemplo, cada um dos cinco principais atributos do produto pode ter um subtítulo. Mostrando ao público a relação desses subtítulos em um slide estilo "agenda", você posiciona a audiência sobre o que será visto e torna o conteúdo mais didático.

A CONCLUSÃO

O ato 3 é o fechamento da apresentação, um *gran finale* que, de preferência, retoma, reforça e consolida a mensagem principal da apresentação. Para que a apresentação fique "redondinha", é interessante a conclusão direcionar o raciocínio da audiência para o slogan revelado na introdução.

Embora seja muito curto, o ato 3 costuma percorrer o seguinte caminho:

- É iniciado com um clímax (vindo do ato 2).
- Revela uma conclusão.
- Retoma o slogan ou o DNA da mensagem principal.
- Consolida as mensagens da apresentação.

STEVE JOBS E O FOCO NA MENSAGEM PRINCIPAL

Quando se fala em apresentações, Steve Jobs é uma referência: sua presença de palco, a estrutura narrativa que apresenta, o impacto que gera na audiência. Em suas performances, nunca falta um clímax. São momentos absurdamente impactantes e inesquecíveis, estruturados de tal forma que imprimem solidamente na audiência a mensagem principal por ele determinada.

Na apresentação de lançamento do notebook MacBook Air, em janeiro de 2008, as coisas não poderiam ter sido diferentes. Jobs anunciou o MacBook Air como "tão fino, que cabe dentro desses envelopes que vemos circulando internamente nos escritórios". Após a afirmativa, ele caminhou até a lateral do palco e pegou um envelope pardo. De dentro dele retirou seu mais novo notebook... O público vibrou! Em seguida, Jobs segurou o notebook na altura de seu rosto: "Vocês podem ver como é fino. E tem um teclado completo e um *display* também completo. Não é surpreendente? É o notebook mais fino do mundo".

No livro *The presentation secrets of Steve Jobs,* Carmine Gallo chama a atenção para essa apresentação de Jobs, na qual não foi dada a menor atenção a especificações técnicas e coisas do gênero. Ninguém saiu do evento conhecendo a memória, a capacidade e a velocidade de processamento daquele produto. Para Jobs, o foco era apenas um: todos os presentes estavam diante do notebook mais fino do mundo. O público absorveu a mensagem — e a mídia também. Todas as pessoas logo puderam conferir nos sites, jornais e revistas especializadas o retrato de Jobs retirando de um envelope o notebook mais fino do mundo. A mensagem principal estava dada.

OBSERVE A SEGUIR AS PRINCIPAIS PARTES DE UMA APRESENTAÇÃO

DESCANSO DE TELA	INTRODUÇÃO		

AGENDA	AGENDA – PARTE 1	CONTEÚDO DE SUSTENTAÇÃO PARTE 1	

CONTEÚDO DE SUSTENTAÇÃO PARTE 2		AGENDA – PARTE 3	

CONTEÚDO DE SUSTENTAÇÃO PARTE 3		AGENDA – PARTE 4	

CONTEÚDO DE SUSTENTAÇÃO PARTE 4			

SOAP – State of the Art Presentations

CAPA / SLOGAN

AGENDA – PARTE 2

CONTEÚDO DE SUSTENTAÇÃO PARTE 2

CONTEÚDO DE SUSTENTAÇÃO PARTE 3

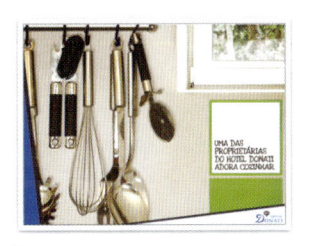

CONTEÚDO DE SUSTENTAÇÃO PARTE 4

FECHAMENTO

CAPA / SLOGAN

Cap. 1 – Roteiro 73

Dez pontos a favor do seu roteiro

1. EMPATIA

Coloque-se no lugar das pessoas da audiência, procure enxergar o contexto pelo ponto de vista delas, considerando seus pontos fortes e fracos. Por meio do discurso e de imagens, tente criar uma conexão emocional com essas pessoas. Quanto mais você compreendê-las e quanto mais elas se sentirem inseridas em suas mensagens, melhor será a sua apresentação.

2. FOCO

O foco no que é relevante é a principal premissa para a realização de uma boa apresentação. Não insira passagens irrelevantes em seu roteiro. Valorize seu tempo e o de sua audiência. Elimine conteúdos desnecessários e tenha objetividade, cuidando para não passar batido em pontos importantes.

3. INFORMAÇÃO NA DOSE CERTA

Ao "limpar" sua apresentação, cuide para não omitir informações relevantes que você supõe que sua audiência já sabe. É importante conhecer o nível dos ouvintes, não subestimá-los nem superestimá-los. Se não houver a oportunidade de conhecer essas pessoas previamente, faça questionamentos sobre seu *background* no próprio momento da apresentação. Com isso, você pode passar mais superficialmente ou se aprofundar em determinados temas, fugindo tanto do excesso quanto da escassez de informações.

4. NÍVEL DE DETALHAMENTO

Existe a tendência de se querer revelar tudo e mais um pouco em um único encontro – e isso pode prejudicar a apresentação e o negócio como um todo. Evite atirar para todos os lados, tenha claros os objetivos em cada etapa de uma transação. Se quiser despertar o interesse da audiência por um produto, mostre os detalhes em uma segunda reunião – ou envie-os por e-mail, mediante solicitação. Lembre-se de que as apresentações são ótimas, especialmente para transmitir conceitos – especificações podem ser guardadas para reuniões mais reservadas ou para documentos que podem ser analisados com calma, individualmente.

5. SEJA ESPECÍFICO

Sem exageros, informações precisas são ótimas para impactar a audiência, pois transmitem confiança e despertam a atenção dos ouvintes. Dizendo que "anualmente bebe-se muita cerveja no país", você dá uma informação real, mas vaga. O específico tem mais impacto: "Em 2009, foram fabricados e comercializados 10,91 bilhões de litros de cerveja no Brasil". Vale lembrar que uma colocação dessas é cabível se, para a sustentação de uma mensagem, for importante dar a noção de que se bebe muita cerveja no país.

6. DIMENSÕES

Ao citar números grandiosos ou minúsculos, ajude a audiência a ter uma ideia do que eles representam. Você falou em 10,91 bilhões de litros de cerveja? Será que esse número faz sentido para sua audiência? Experimente dizer: "Em 2009, foram fabricados e comercializados 10,91 bilhões de litros de cerveja no Brasil, volume suficiente para encher mais de 4,3 mil piscinas olímpicas". Tornando um dado palpável, você facilita a retenção da informação por parte da audiência.

7. TERMOS TÉCNICOS

Caso desconheça o nível técnico de sua audiência, parta do princípio de que pessoas técnicas compreendem uma linguagem leiga, mas os leigos nem sempre entendem uma linguagem técnica. Na dúvida, evite esses termos.

8. ABAIXO O EGOCENTRISMO

Diante de uma audiência, evite se elogiar (o mesmo se estende a suas ideias, projetos e produtos). Mostre fatos e informações sobre seu produto e deixe que a audiência formule seus elogios. As qualidades percebidas pela audiência têm muito mais impacto do que as empurradas pelo apresentador. Um bom roteiro conduz o pensamento da audiência, de modo que ela própria deduza os pontos fortes do que está sendo apresentado.

9. MISSÃO, VALORES E DIFERENCIAIS

Em um discurso para funcionários novos da sua empresa, pode ser que a missão e os valores tenham sua importância. Mas será que essas informações são relevantes para clientes? Guarde as particularidades da sua empresa para serem discutidas com sua equipe. Nas apresentações externas, guie-se pelo interesse das pessoas com quem está falando e por seus objetivos em relação a elas. Em vez de dizer "quem sou e quais são meus diferenciais", diga "como posso melhorar sua vida". Mais importante que seus diferenciais é a forma como eles potencializam os diferenciais da audiência. Isso muda significativamente a abordagem e a forma como as mensagens são recebidas.

10. ATENTE AOS EXEMPLOS

Os exemplos são uma faca de dois gumes. Bem empregados, denotam credibilidade e contribuem para a conquista da confiança por parte da audiência. Já os inadequados (que citam particularidades de um concorrente, por exemplo), podem abalar toda a performance de uma apresentação.

E PONTO FINAL

Concluído o roteiro, avalie se ele se mostra eficiente apenas no discurso, sem nenhum apoio visual. Se isso acontecer, já é meio caminho andado, você já está com uma boa apresentação em mãos. O passo seguinte, para tornar o resultado ainda melhor, é investir na parte visual. É o que veremos a seguir.

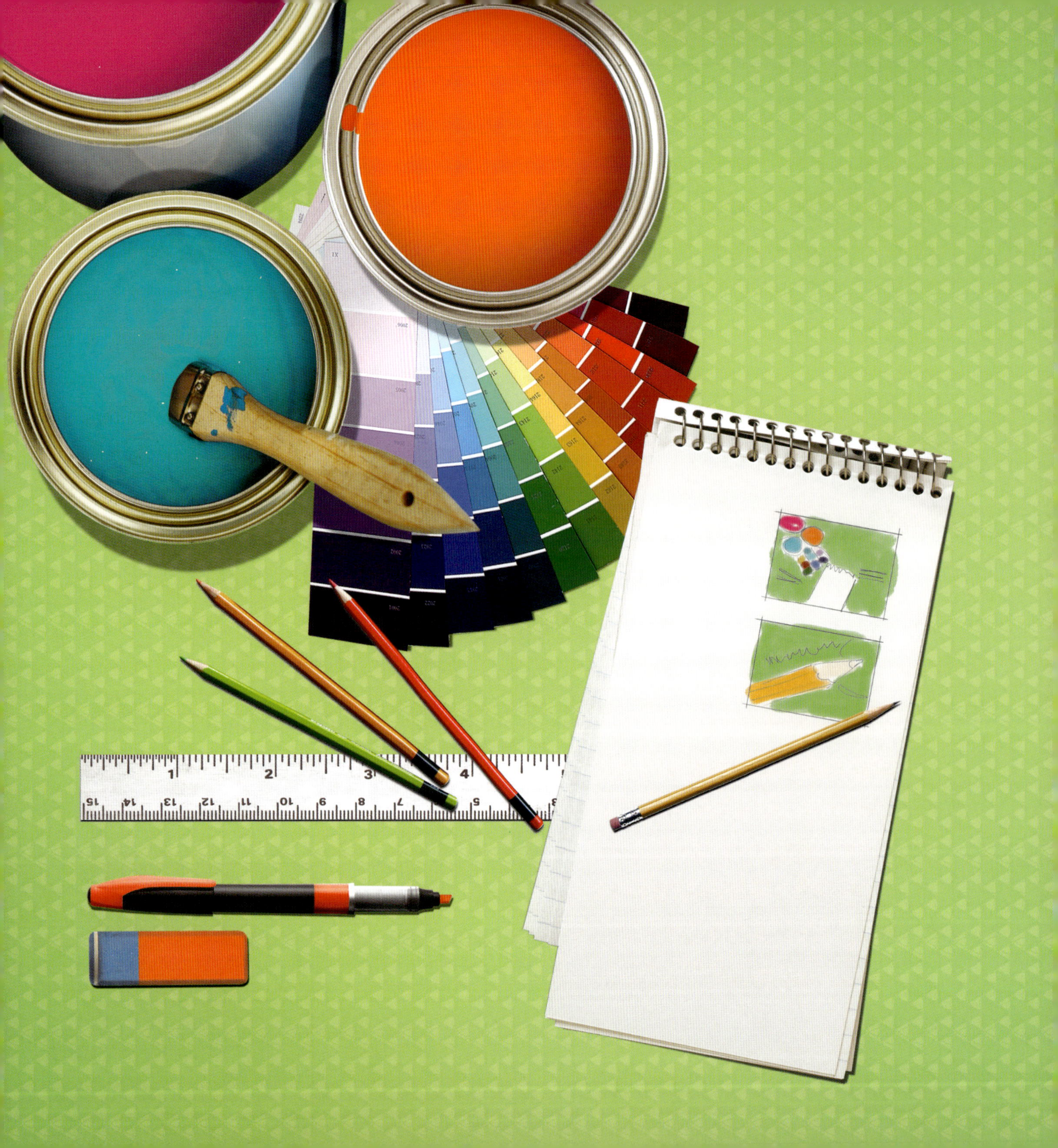

CAP. 2 - SLIDES: A CRIAÇÃO VISUAL

"Somos todos comunicadores visuais inerentes. Considere o jardim de infância: eram pinturas com os dedos, desenhos com giz e argila que impulsionavam nossa expressão – e não as palavras e planilhas."

Nancy Duarte

Por que investir no visual de uma apresentação

Já vimos que uma ideia apoiada em uma boa história pode ser transmitida com propriedade por meio do discurso. No entanto, mesmo considerando que essa boa história, por si só, seja absolutamente capaz de encantar as mais exigentes audiências, não dá para negar que um bom suporte visual pode enaltecê-la ainda mais.

Não é à toa. Nas salas de reuniões e nos auditórios as pessoas acompanham os apresentadores com o olhar, enquanto ouvem seus relatos. Podemos dizer que isso caracteriza qualquer palestra como audiovisual, por mais que ela esteja apoiada exclusivamente na figura de um condutor. Se considerarmos a audiência "à disposição com seus olhos e ouvidos", simplesmente não faz sentido desprezar o visual, esse impactante canal de comunicação.

Aliadas ao discurso, as informações visuais melhoram a qualidade das mensagens transmitidas, aumentam a eficiência da comunicação e o sucesso do apresentador diante de uma audiência. Os motivos são vários:

ATALHOS DO PENSAMENTO

Por despertarem o pensamento visual e possibilitarem a rápida transmissão de conceitos, as informações visuais atuam como atalhos do pensamento, sintetizando ideias e acelerando a compreensão por parte da audiência. Quando há muito a transmitir em curto espaço de tempo, são excelentes ferramentas para abreviar explicações e descrições.

ATENÇÃO

O olhar humano é atraído por movimento, por mudanças e cenários novos que se revelam. A alternância de imagens chama a atenção do espectador, desperta-o para o que está sendo transmitido. Se encararmos cada slide como um recomeço, uma nova chance de surpreender e conquistar a atenção da audiência, podemos pensar em dezenas de chances de reconquista ao longo de uma apresentação. No outro extremo das palestras que contam com bons slides, estão aquelas apoiadas exclusivamente no discurso. Fazendo um paralelo com o cinema, essas seriam equivalentes a filmes feitos apenas com a presença de um narrador... Faria sentido?

ENTENDIMENTO

Ao representar um conceito verbal com imagens, o apresentador conduz a audiência a um pensamento visual que visa traduzir complexidade em simplicidade. Além disso, ele oferece mais um canal para a captação de informações por parte de quem o assiste. Há pessoas que absorvem melhor o que ouvem e há aquelas que absorvem melhor o que veem – conciliando discurso e imagens, o apresentador abre os dois caminhos para atingir seu público.

RETENÇÃO DAS MENSAGENS

A linguagem visual é um canal extra para estimular a memorização de conceitos. Imagine um representante de uma indústria de alimentos orgânicos fazendo uma palestra para nutricionistas. Ele pode apenas dizer que "estudos recentes comprovam que a alta concentração de corantes em alimentos causa prejuízos importantes para o organismo, em especial para a pele". Se quiser ser mais enfático, no entanto, ele pode revelar, paralelamente ao seu discurso, a imagem de uma lata de tinta com um rótulo alertando: "contraindicado para refeições". A imagem concretiza o conceito exposto e aumenta as chances de a audiência, mais tarde, se lembrar daquele conceito.

IDENTIFICAÇÃO

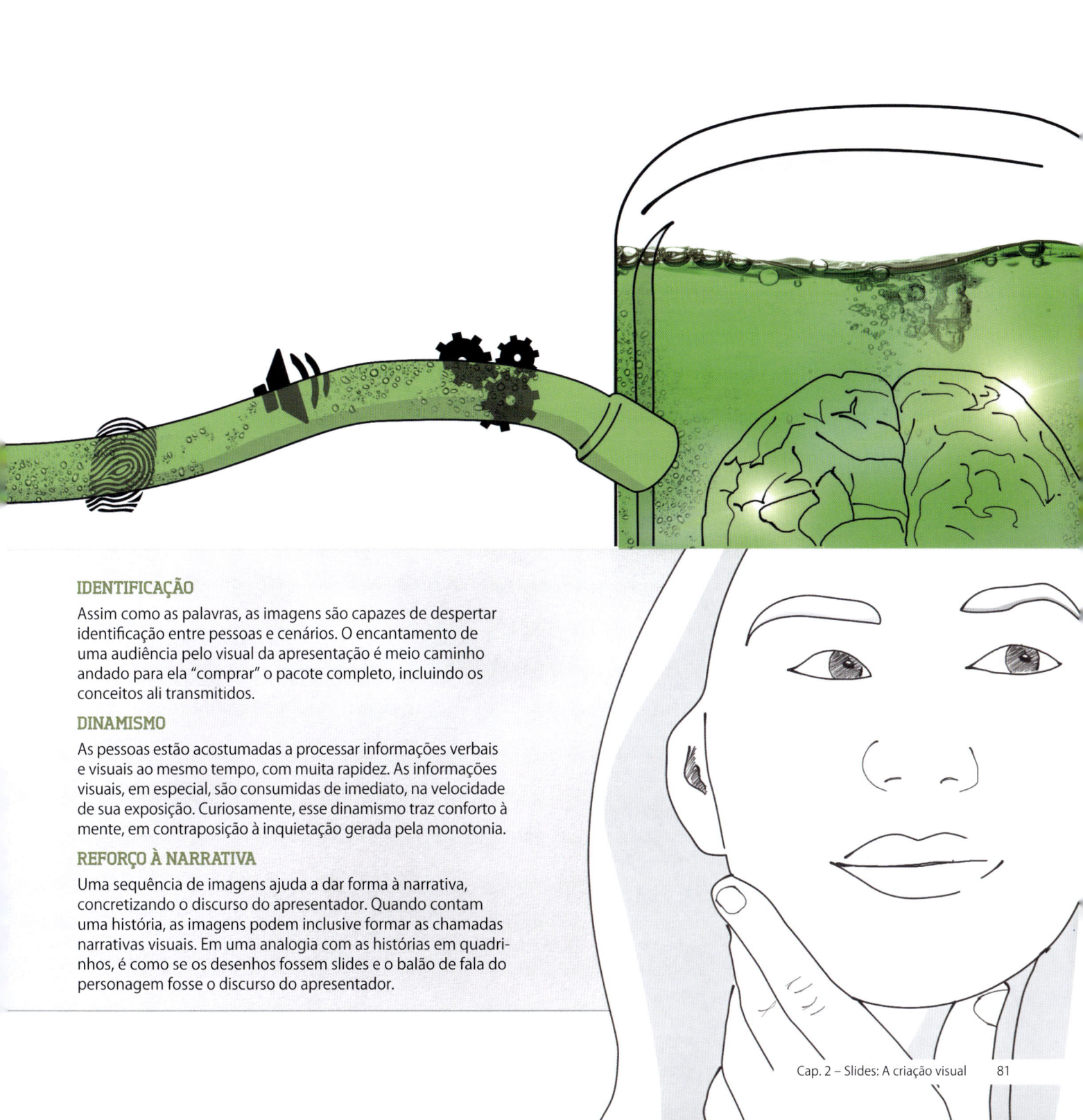

Assim como as palavras, as imagens são capazes de despertar identificação entre pessoas e cenários. O encantamento de uma audiência pelo visual da apresentação é meio caminho andado para ela "comprar" o pacote completo, incluindo os conceitos ali transmitidos.

DINAMISMO

As pessoas estão acostumadas a processar informações verbais e visuais ao mesmo tempo, com muita rapidez. As informações visuais, em especial, são consumidas de imediato, na velocidade de sua exposição. Curiosamente, esse dinamismo traz conforto à mente, em contraposição à inquietação gerada pela monotonia.

REFORÇO À NARRATIVA

Uma sequência de imagens ajuda a dar forma à narrativa, concretizando o discurso do apresentador. Quando contam uma história, as imagens podem inclusive formar as chamadas narrativas visuais. Em uma analogia com as histórias em quadrinhos, é como se os desenhos fossem slides e o balão de fala do personagem fosse o discurso do apresentador.

PARA ONDE VAI O PENSAMENTO DA AUDIÊNCIA?

Ao ler ou ouvir um discurso, é natural do ser humano converter as palavras em imagens. Sem o apoio visual, esse processo de conversão acontece de acordo com a experiência de quem recebe a informação. Consciente ou inconscientemente, cada pessoa tem suas representações internas, construídas com base em referências experimentadas ao longo da vida. Por isso, de acordo com suas vivências particulares, é normal cada um receber as informações de uma maneira.

Se em uma apresentação você afirmar que "esta empresa de nutrição foca em qualidade total", por exemplo, cada ouvinte traduzirá o conceito da maneira que lhe parecer mais adequada. A nutricionista de um *spa* pensará em uma alimentação pouco calórica, um *gourmet* pensará em pratos refinados, um médico bacteriologista pensará na higiene durante o preparo, uma pessoa com fome pensará em pratos fartos.

Para garantir a transmissão de conceitos precisos, portanto, é importante que as mensagens sejam específicas, não deem margem a interpretações e conduzam o raciocínio da audiência para onde se deseja. É nesse momento que as representações visuais fazem diferença. Elas prestam importante papel no direcionamento do raciocínio e das conclusões da audiência. Quanto mais precisas forem as mensagens verbais e visuais, melhor será a qualidade do entendimento das mensagens transmitidas.

"Qualidade em nutrição" sob o ponto de vista da nutricionista de um *spa*.

"Qualidade em nutrição" sob o ponto de vista de um *gourmet*.

SEQUÊNCIA DE SLIDES: MAIS SEGURANÇA PARA O APRESENTADOR

Além dos vários benefícios do visual das apresentações em relação à audiência, ele também pode dar mais segurança ao apresentador. Por mais que a história a ser contada esteja dominada, é confortável para ele saber que há imagens, frases ou palavras-chave que podem servir de gatilho para seu discurso, caso se esqueça de algum trecho.

Mas, atenção: embora ajudem a garantir que o condutor não passe batido por nenhuma mensagem previamente elaborada, os slides jamais devem ser utilizados como Teleprompter, aquela sucessão de informações escritas que os âncoras de TV utilizam para sustentar suas falas. Eventualmente, as imagens podem, sim, ajudar o apresentador a acessar sua memória, mas, para que o discurso seja bem elaborado, ele tem de estar absolutamente assimilado e interiorizado.

"Qualidade em nutrição" sob o ponto de vista de um médico bacteriologista.

"Qualidade em nutrição" sob o ponto de vista de uma pessoa com fome.

Rumo aos slides

É chegada a hora de criar os slides propriamente ditos. Para confeccioná-los, procure seguir as etapas abaixo:

1. DIVIDA O ROTEIRO EM SLIDES

Separe o roteiro criado no Word e divida-o em trechos que representem diferentes temas ou assuntos. Esses fragmentos selecionados podem ser representados por um único slide ou quebrados em textos menores, representados por mais slides. Você pode ter dois ou três parágrafos sendo ditos enquanto um mesmo slide é exibido, ou ter uma única frase para um slide. Não existem orientações rígidas nesse sentido.

Considerando que existem incontáveis maneiras de subdividir um roteiro, a separação inicial de trechos deve ser vista apenas como uma referência, podendo ser adaptada ao longo da confecção dos slides.

Faça uma agenda e ilustre-a em telas de transição

Ao fazer a identificação dos temas para fragmentar o roteiro, procure estruturar uma agenda da apresentação. Além de o recurso tornar a sequência do discurso ainda mais clara para você, ele ajuda os ouvintes a se situarem diante do conteúdo e a compreenderem com maior clareza a relação entre os tópicos abordados.

Visualmente, uma boa estratégia é revelar um slide com a agenda imediatamente antes de entrar no primeiro assunto da agenda. Em seguida, mostra-se uma tela de transição, que é uma adaptação do slide da agenda, com destaque para o tema a ser abordado. Cada vez que a história for mudar de rumo, um novo slide de transição entra em cena, destacando o assunto do momento. Imagine o diretor de RH de uma empresa que queira apresentar a seus gerentes uma nova política de benefícios... Como itens dessa política, ele falará em "benefícios fixos" e "benefícios variáveis". Para ilustrar esses momentos, ele primeiro mostra um slide da agenda, expondo os dois tópicos. Em seguida, revela um slide de transição que destaca os "benefícios fixos", dos quais falará na sequência. Concluído o discurso acerca dos benefícios fixos, ele exibe um slide que aponta para os "benefícios variáveis", e, só então, entra no detalhamento desse tópico.

A AGENDA DE MÃOS DADAS COM A DIDÁTICA

Entre 2007 e 2008, a diretora editorial do Grupo Meio & Mensagem, Regina Augusto, visitou as agências de publicidade mais inovadoras e bem-sucedidas da Europa e dos Estados Unidos. Registrada em um blog, a experiência chamou a atenção de muitas agências brasileiras, que começaram a convidá-la para expor às equipes as particularidades identificadas. Queriam entender melhor o que estava acontecendo lá fora, para dali tirar seus próprios aprendizados.

Para revelar os conceitos de maneira didática e de fácil entendimento, Regina Augusto reuniu e categorizou particularidades encontradas em várias dessas agências. No início do desenvolvimento de sua palestra, expôs as principais características em uma agenda e, ao longo da palestra, aprofundou-se em cada uma delas. Para entender o caráter didático da apresentação, observe alguns de seus slides. Atente para a agenda, os slides de transição (que marcam o início do discurso sobre determinado tema) e algumas das telas que aparecem no desenvolvimento dos assuntos anunciados.

O que se vê em comum em todas essas agências é o incomum.

Esse incomum se revela em diversas frentes...

Daí em diante, a apresentadora se aprofunda nas frentes reveladas na agenda. Antes de entrar em cada uma delas, situa a audiência por meio de uma tela de transição:

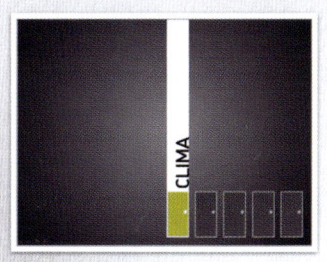

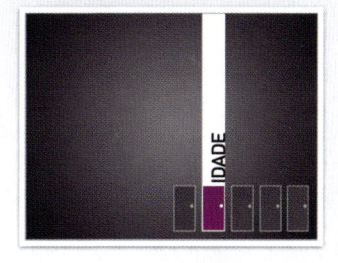

2. DEFINA O QUE FICA NOS SLIDES

Considerando o conteúdo estabelecido para cada slide, defina o que fica na tela e o que vai para o discurso. É preferível que os slides sejam concisos e compostos de algumas imagens, palavras-chave ou, no máximo, breves sentenças.

Nesse aspecto, é importante pensar que a apresentação precisa ser customizada não mais com base na audiência, mas no apresentador. Quanto mais segurança ele tiver em relação ao discurso, menos texto precisará ir para a tela. O auge da segurança permite o uso de slides criados exclusivamente com imagens, ou mesmo com imagens e palavras-chave que expressem apenas conceitos. A fala realizada com pouco suporte atesta domínio pleno do apresentador e ajuda-o a passar confiança e credibilidade ao público.

3. DEFINA UMA MENSAGEM PRINCIPAL PARA CADA SLIDE

Não queira inserir inúmeras mensagens em um mesmo slide – eleja uma mensagem principal para cada tela e direcione seus esforços para ilustrá-la da melhor maneira possível. Em um slide com muito conteúdo, aumenta o risco de a audiência se perder e acabar se desligando do seu discurso por alguns instantes.

Atendo-se a uma mensagem principal por tela, você facilita seu trabalho, pois sabe exatamente o que expor naquele momento. Além disso, aumentam as chances de assimilação e retenção da mensagem por parte da audiência, já que ela poderá associar a imagem única do slide ao seu discurso. Ao pensar na criação de um slide, portanto, pergunte-se: "Qual é a mensagem principal que vou inserir nesta tela e o que vou valorizar nessa mensagem?".

QUANTOS SLIDES DEVE HAVER EM UMA APRESENTAÇÃO DE 60 MINUTOS?

A quantidade de slides não precisa estar diretamente relacionada à duração da apresentação. Uma apresentação com trinta slides, por exemplo, pode ser feita em 15 ou em 90 minutos. Tudo depende de quanto tempo o apresentador permanecer em cada slide. Se tomarmos como exemplo uma palestra na qual José Roberto Guimarães, técnico da Seleção Brasileira de Voleibol Feminino, fala de trabalho em equipe, liderança e temas afins, são apenas 15 slides acompanhando uma fala de pouco mais de uma hora. No outro extremo, o especialista em *comics* Scott McCloud faz palestras de 30 minutos usando cerca de 150 slides. Nesse caso, a sequência de imagens passa tão rapidamente que acaba se assemelhando a um filme!

Assim, a relação entre quantidade de slides e tempo de apresentação depende da quantidade de mensagens visuais que o apresentador quer passar e do ritmo que pretende dar a essas mudanças visuais. Há apresentadores que se sentem mais à vontade ficando intervalos maiores em um mesmo slide, e existem os que preferem mudanças mais rápidas e frequentes, com apoio constante das imagens e palavras-chave. Cabe a cada apresentador identificar seu estilo e o ritmo visual que pretende dar a sua apresentação.

O APRESENTADOR DEVE LER O TEXTO DOS SLIDES?

Quando um slide tiver muito texto, há dois cenários possíveis. Se o apresentador não lê o texto em questão, a audiência acaba lendo por conta própria e se desliga do que está sendo dito no discurso. No caso de o apresentador ler o conteúdo, ainda assim há o risco de a audiência começar uma leitura paralela e silenciosa, que certamente será mais rápida que a leitura do condutor em voz alta. Nesse contexto, o discurso se torna previsível, a audiência se entedia e o apresentador, ou os slides, tornam-se desnecessários.

Por isso, fuja dos textos grandes, que se mostram prejudiciais ao palestrante em qualquer contexto ou abordagem. Mesmo que a pessoa não se sinta totalmente segura para falar em público, é importante que não exagere no texto dos slides. Caso precise fazer uso do suporte visual, é melhor que se oriente por palavras-chave em vez de sentenças. Vale dizer que nem todos os termos presentes nos slides precisam ser ditos. Um jogo entre o que é falado e o que a audiência capta na tela pode conferir uma dinâmica interessante para a performance.

4. FAÇA UM ESBOÇO DA IDEIA QUE SUSTENTARÁ O SLIDE

Para valorizar a mensagem principal de um slide, crie a ideia que o representará visualmente. Essa criação pode ser um rascunho ou um esboço em um pedaço de papel, que mais tarde será passado para o computador. Durante o processo de criação, avalie:

- O que você quer que a audiência pense?
- O que pode ser dito e mostrado para que ela pense isso?
- Em que sequência? Primeiro o texto, depois a imagem? Os dois ao mesmo tempo?

Quando for estruturar um slide, tenha em mente que ele deverá ser relevante e ajudar a despertar a atenção, o interesse, a identificação e a empatia da audiência. Com palavras, imagens, formas e outros elementos vistos acima, ele deve transmitir uma mensagem única. Cada slide deve ser pensando individualmente e, em sua confecção, você pode lançar mão de várias combinações de elementos.

- Texto
- Imagem e texto
- Gráfico
- Gráfico, texto e imagem
- Texto e gráfico
- Tabela e texto
- Tabela
- Animações
- Etc.

Cap. 2 – Slides: A criação visual   89

PRIORIZE A CLAREZA DAS MENSAGENS

Parta do princípio de que a cada novo slide o olhar da audiência se dirige à tela para decifrá-lo. Por isso, crie mensagens claras e de rápido entendimento. O ideal é que os slides possam ser decifrados em, no máximo, 5 segundos, de modo que as pessoas identifiquem neles a mensagem principal, sem se desconectar do seu discurso.

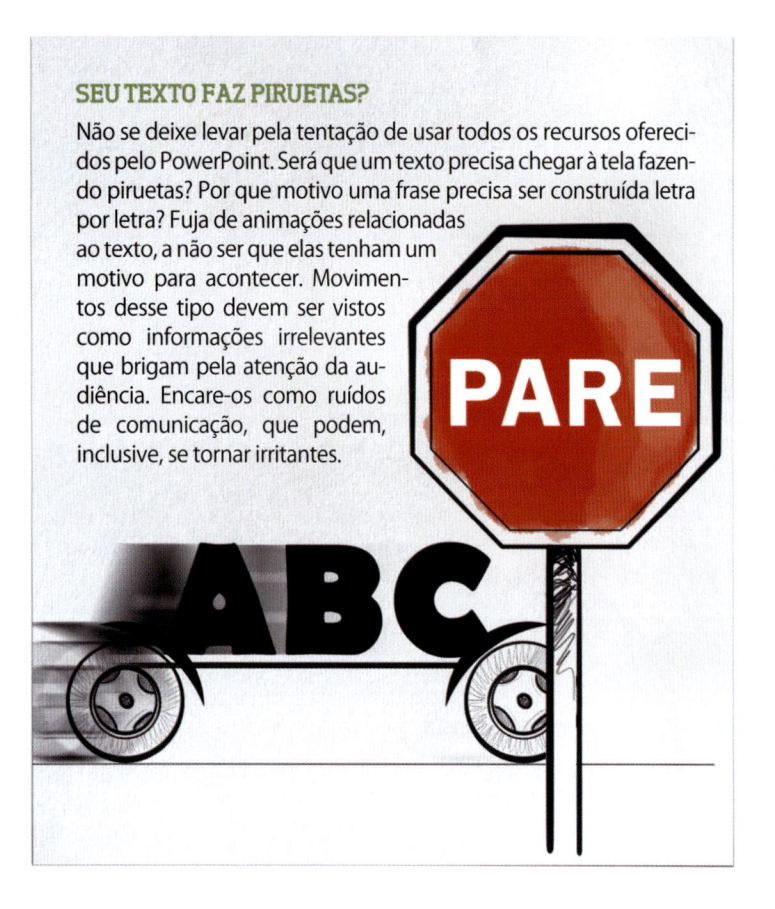

SEU TEXTO FAZ PIRUETAS?

Não se deixe levar pela tentação de usar todos os recursos oferecidos pelo PowerPoint. Será que um texto precisa chegar à tela fazendo piruetas? Por que motivo uma frase precisa ser construída letra por letra? Fuja de animações relacionadas ao texto, a não ser que elas tenham um motivo para acontecer. Movimentos desse tipo devem ser vistos como informações irrelevantes que brigam pela atenção da audiência. Encare-os como ruídos de comunicação, que podem, inclusive, se tornar irritantes.

5. DEFINA OS ELEMENTOS QUE SERÃO USADOS NA CONFECÇÃO DO SLIDE

Para levar a ideia esboçada para a tela, providencie os elementos gráficos que pretende utilizar. Ao escolher imagens, pense que elas não transmitirão apenas conteúdo, mas também emoções. Cada imagem desperta diferentes sensações nas pessoas e assim pode modificar o estado de espírito dos presentes. Ao fazer suas escolhas, questione-se sobre a emoção que pretende despertar na audiência.

São vários os elementos visuais que podem ser utilizados na confecção de um slide. Caso a caso, slide por slide, selecione insumos capazes de valorizar sua mensagem.

- Imagens
- Ícones
- Desenhos, traços
- Foto-objeto
- Grafismos
- Montagens

Cap. 2 – Slides: A criação visual   91

6. DISTRIBUA OS ELEMENTOS NA TELA

Chegou a hora de distribuir os elementos na tela e montar o visual dos slides. Nesse momento é preciso ter atenção à estética. O cérebro humano naturalmente busca padrões e alinhamentos e, por isso, é interessante distribuir os elementos no slide de maneira alinhada. Uma imagem equilibrada gera conforto visual para a audiência.

O alinhamento dos elementos nos slides é um dos segredos para a harmonia visual. Para colocá-lo em prática, oriente-se por linhas de grade horizontais ou verticais, que dividem a tela em colunas. São marcações mostradas na tela apenas para orientação espacial durante a elaboração dos slides.

A escolha da quantidade de linhas de grade depende de como você quer equilibrar cada slide e dos elementos que pretende utilizar em cada um deles. Em geral, o jeito mais fácil de trabalhar é dividindo-o em quadrantes. Feito isso, pode-se trabalhar no estilo:

IMAGEM – TEXTO

TEXTO – IMAGEM

Outra opção é dividir o slide exatamente ao meio, na horizontal, e usar duas, três ou quatro colunas verticais. Essa divisão realmente depende do que há para ser inserido. No exemplo abaixo, por causa da inserção de uma imagem vertical, dividimos o slide ao meio verticalmente e inserimos linhas de grade horizontais para demarcar o espaço do texto.

Confira, abaixo, alguns padrões de quadrantes e slides feitos com base neles:

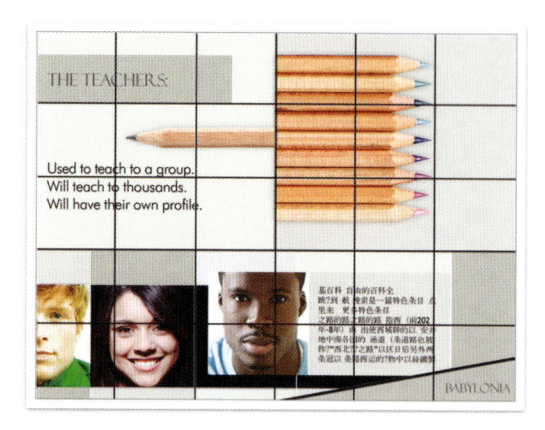

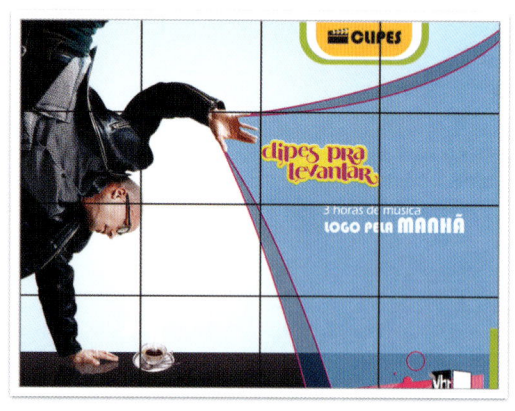

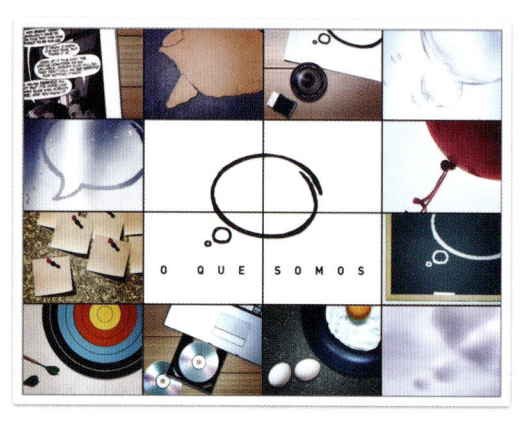

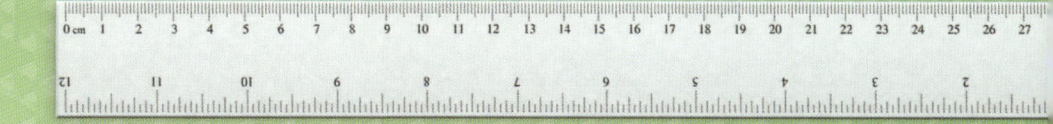

SLIDES IMPORTANTES PARA SUA APRESENTAÇÃO

Além dos slides confeccionados a partir do roteiro, é importante confeccionar uma capa para a apresentação e uma tela de espera. A capa é um slide que revela o slogan ou o tema da palestra e pode ser ou não a primeira tela exibida. Se julgar adequado, o apresentador pode mostrar alguns conceitos na introdução e só em seguida revelar o tema e a capa. Nesse caso, a capa se torna o desfecho da introdução.

Outro slide que não está no roteiro, mas que deve existir nas apresentações, é a tela de espera ou de descanso. Exibida antes de o evento começar, momento em que a audiência entra no auditório, pode prestar papel importante revelando antecipadamente alguns traços, ainda que sutis, do DNA da mensagem principal. Em alguns eventos, pode acontecer de a tela de espera ficar exposta por muito tempo – quando isso ocorre, ela se torna importante aliada na transmissão e na retenção de sua mensagem.

DESCANSOS | **CAPAS**

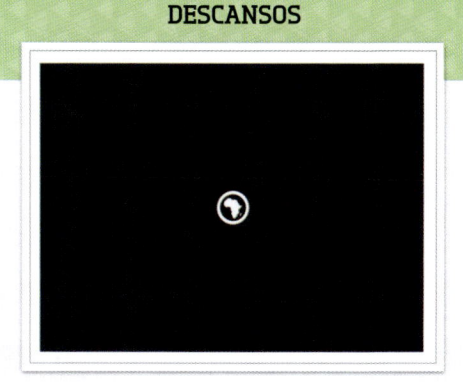

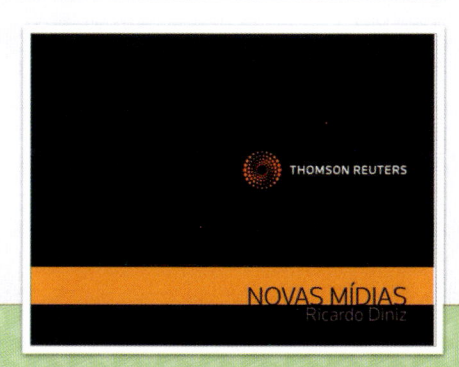

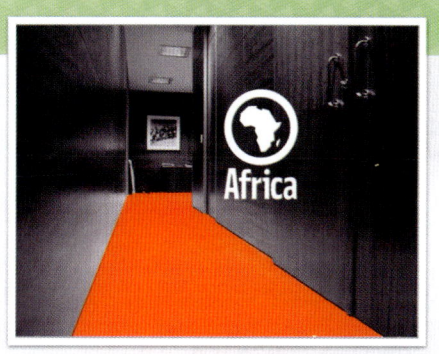

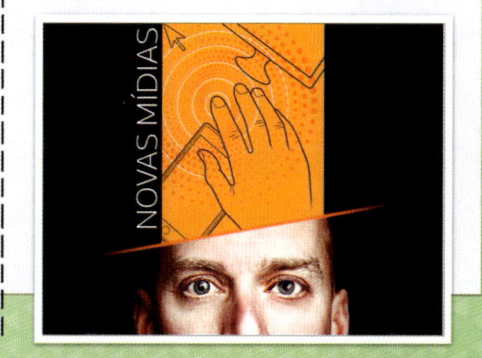

Cap. 2 – Slides: A criação visual

Recursos visuais

Assim como existem recursos narrativos que aprimoram o texto de um roteiro, diversos recursos e linguagens visuais podem ser usados na elaboração de slides. Confira alguns deles:

- Literal
- Linguagem complementar
- Metáfora
- Imagem montada aos poucos
- Desenho que vira foto
- Animações

LITERAL

Um slide literal marca a expressão exata do discurso, seja em palavras ou imagens. Se o apresentador estiver se referindo ao Maracanã como maior estádio de futebol do Brasil (em termos de capacidade), um slide literal seria algo assim:

Maracanã
O maior estádio do Brasil

Os slides literais não primam pela criatividade nem surpreendem a audiência. Retratam exatamente o que é dito no discurso. Em geral, não são impactantes, mas ainda assim podem ajudar a audiência a captar e a memorizar uma mensagem qualquer, já que a revelam visualmente.

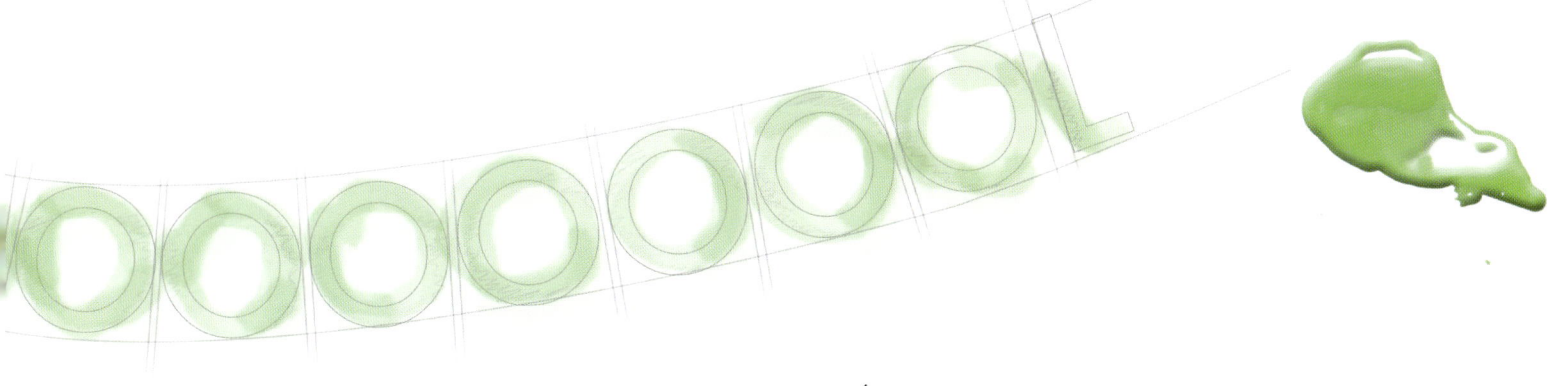

LINGUAGEM COMPLEMENTAR

Slides feitos com esse recurso revelam informações complementares ao discurso, vão além do literal. Tomando como exemplo a citação ao estádio do Maracanã, o slide com linguagem complementar poderia revelar:

METÁFORA

Em um slide construído com base em metáforas, o objetivo é revelar uma imagem impactante, que não seja literal. Essa imagem conduz a audiência a um pensamento visual apurado que, por sua vez, revela a mensagem desejada. Trata-se de uma linguagem indireta construída associando-se algo ao assunto discutido. A metáfora tem muito poder, pois se comunica com o consciente e com o inconsciente das pessoas, facilitando a retenção da mensagem. Pensando ainda no exemplo do Maracanã, poderíamos ter a seguinte metáfora:

A imagem, nesse caso, não expressa literalmente o que o discurso diz. É uma maneira mais sutil, com um raciocínio que exige alguma interpretação para o completo entendimento. Especialmente em temas densos e situações mais abstratas, as metáforas facilitam o entendimento das mensagens e ajudam na memorização por parte do público.

A IMAGEM QUE REFORÇA O CONTEÚDO

Por Luciano Burti

Há alguns anos faço palestras corporativas. Nelas, destaco certos episódios da minha carreira de piloto, chamando a atenção para importantes lições que extraí dessas passagens. São vivências concretas e constatações bastante objetivas relativas a liderança, trabalho em equipe, determinação etc.

Comecei fazendo minhas palestras de maneira amadora, sem cuidado especial com as imagens e com o encadeamento do roteiro. Com o tempo resolvi profissionalizar aquilo tudo, investindo na estruturação do discurso e dando atenção especial ao apoio visual. Além de reforçar meus dizeres, vejo que o visual bem trabalhado me ajuda a reter a atenção da audiência.

Na reformulação visual da minha palestra, incluí imagens, vídeos e animações que deixaram o material mais dinâmico e mais coerente com minha trajetória. Em especial, passei a contar com imagens que enfatizam passagens que encaro como muito marcantes, como as seguintes:

Em uma única imagem, exibo para a audiência um minicurrículo no qual enumero as posições e os títulos mais importantes que conquistei entre 1992 e 2001.

Uma imagem, seguida por vídeo de acidente que sofri a 250 km/h, revela o início do período mais duro da minha vida.

Um médico inglês diz que eu não dirigiria mais carro algum e dificilmente voltaria a andar.

Ele assinou um laudo com esse prognóstico.

De maneira positiva ou negativa, todas essas passagens têm grande significado para mim. Mas gostaria de destacar aqui a imagem do médico inglês que, depois do meu acidente, assinou um prognóstico muito duro e supostamente definitivo. Segundo ele, não voltaria a pilotar e talvez não voltasse sequer a andar. Ele afirmou tudo isso e, literalmente, assinou embaixo.

Com aquele documento em mãos, com a ajuda da minha família, de outros médicos e amigos, desafiei o prognóstico. Voltei a andar, a pilotar e a viver uma vida normal. Minha determinação diante do cenário ficou muito clara e, na minha palestra, procuro revelar o episódio em toda a sua dimensão. É nessa hora que o discurso estruturado, aliado a slides bem trabalhados, fazem diferença – e me deixam muito seguro de que as nuances que gostaria de transmitir, de fato, atingem a audiência.

IMAGEM MONTADA AOS POUCOS

O apresentador revela uma informação, outra, outra e, quando termina a sequência de cinco ou seis informações, aquele conjunto revela uma imagem maior. Este recurso pode ser usado para construir o raciocínio da audiência aos poucos, fazendo suspense, gerando interesse e atenção. Voltando ao exemplo do Maracanã, teríamos o seguinte:

1.

Maracanã

2.

Maracanã o maior estádio

3.

Maracanã o maior estádio do Brasil

DESENHO QUE VIRA FOTO OU IMAGEM QUE GANHA COR

Durante parte da apresentação, um tema é tratado com desenhos que, em determinado momento, dão lugar a fotos, imagens reais. O recurso é uma forma de marcar visualmente dois momentos de uma apresentação: o momento de um conflito (ilustrado com desenhos) e o de um desfecho bem-sucedido (ilustrado com fotos). Ou o momento de um sonho (com desenhos) e a realização desse sonho (imagens reais). O mesmo pode ser feito com a transição de imagens em preto e branco para coloridas – as coloridas são a representação de um bom desfecho.

Ambos os recursos se aplicam bem em diversos contextos: para mostrar os bons resultados de uma ação, revelar um novo produto no mercado, apontar uma solução para uma questão etc.

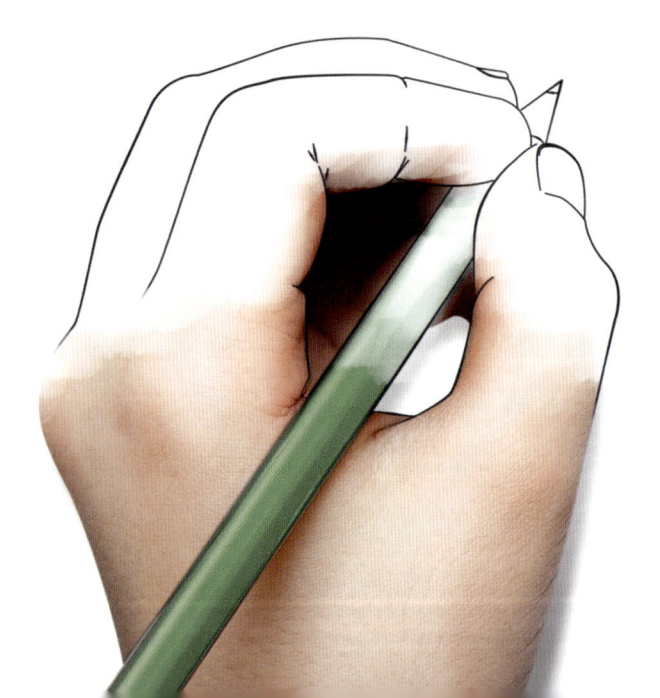

Viviane Senna

O CONFLITO NO DESENHO, O DESFECHO NO RETRATO

Anualmente, Viviane Senna, em nome do Instituto Ayrton Senna, fala a um grupo de empresários do Lide, Líderes Empresariais. Em 30 minutos ela relaciona alguma questão estratégica do Brasil ao nosso cenário educacional – algo como o impacto da educação na desigualdade social, no desenvolvimento econômico ou em temas relacionados à saúde.

Após apresentar o panorama escolhido, revela aos empresários resultados efetivos de uma ação feita pelo Instituto Ayrton Senna em parceria com o Lide para alterar essa realidade e mostra as decorrências dessa iniciativa. O objetivo é apresentar às empresas participantes os frutos de suas investidas e convidar outras empresas a apoiarem a iniciativa. Nessa comunicação, Viviane salienta a importância de a razão ser mesclada à emoção e de informações objetivas serem inseridas em uma narrativa capaz de tocar a audiência – "Narrativas frias não conectam as pessoas, não as mobilizam por uma causa".

Pensando em tocar a audiência, um dos recursos visuais utilizados por Viviane Senna em sua apresentação de 2010 foi justamente a transição de desenho para fotografia. Na parte da narrativa em que expunha os problemas educacionais do país, ela apresentou – retratada por desenhos em caderno ou em um quadro-negro – uma criança do interior de Pernambuco chamada Rosilene. Uma menina de família analfabeta, incluindo avós, pais e irmãos.

Retratando parte do cenário educacional brasileiro, Rosilene seguia analfabeta aos dez anos de idade, embora já cursasse a terceira série. Eis que em determinado momento sua formação muda de rumo. Graças à parceria do Lide com o Instituto Ayrton Senna, a menina foi inserida em um programa educacional adotado em 180 cidades de Pernambuco e que reduziu para 38% os 70% de alunos de oitava série anteriormente tidos como defasados.

Rosilene chegou aos 17 anos não apenas alfabetizada, mas cursando o ensino médio, onde apenas os 20% mais ricos da população infantojuvenil conseguem chegar. Quando Viviane Senna cita a menina alfabetizada, a primeira da família a chegar a esse ponto, seu rosto, em vez de aparecer todo desenhado, revela parte dele estampada em uma foto.

Alguns slides depois, seu rosto é mostrado todo em cores, com sorriso aberto, marcando o desfecho da história, o final feliz possibilitado pelo programa educacional. Em seguida, Viviane Senna mostrou os logotipos das empresas que apoiam o programa e convidou outras empresas para aderirem à iniciativa.

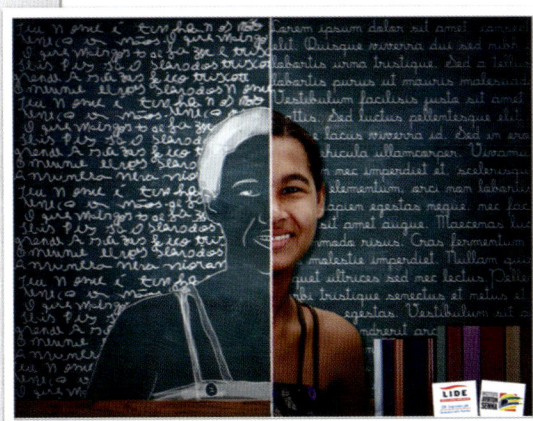

ANIMAÇÕES

Animações são sequências de slides associados a movimentos. Embora muitas vezes sejam atraentes, elas não devem ser inseridas apenas para fazer graça ou showzinhos para a audiência. Esse recurso deve ser relevante no contexto da apresentação, deve ter um objetivo real. Uma boa animação:

- Cria suspense
- Conduz o pensamento da audiência a determinada direção
- Revela uma narrativa visual única
- Surpreende

Antes de incluir uma animação em uma palestra, saiba que nem todo apresentador se relaciona bem com esse recurso. As animações requerem sincronismo preciso entre o discurso e os "cliques" para a mudança de slides. Alguns apresentadores se sentem presos ou se perdem no raciocínio por conta disso.

Vale ainda dizer que se uma animação for rápida demais e for importante para o entendimento de um conceito, é bom chamar a atenção dos presentes e executá-la uma segunda vez.

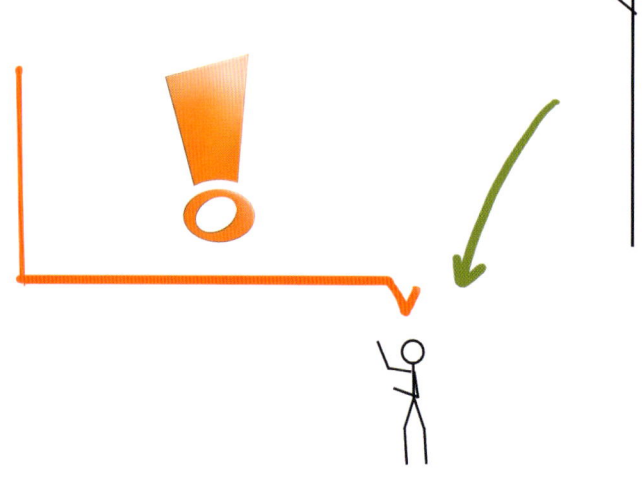

PREPARANDO A JOGADA

Para possíveis patrocinadores, parceiros, universitários e profissionais ligados ao marketing esportivo, é comum Júlio Casares, vice-presidente de marketing do São Paulo Futebol Clube, fazer apresentações sobre seu clube. Experiente no assunto, ele enxerga como boas apresentações aquelas que possuem uma linha de raciocínio bem estruturada, com introdução, desenvolvimento de temas e conclusão encadeados de tal forma, que uma passagem chama a outra e o discurso se desenrola quase que espontaneamente.

Em uma apresentação institucional na qual destacava o profissionalismo do clube, Casares fez uma animação para ilustrar esse ponto de vista. Uma sequência de imagens foi elaborada de modo a conduzir o raciocínio da audiência. A dança dos times em campo foi coerente com seu discurso. Nessa sequência, o objetivo de Casares era ressaltar as vantagens de o São Paulo ter, internamente, mais de uma facção. Observe a sequência lembrando que o deslocamento das peças, aqui mostrado de maneira estática, era animado na apresentação presencial.

Júlio Casares

No início da sequência, Casares diz que o São Paulo tem a vantagem de ter equilíbrio de poder entre órgãos diretivos. Assim que diz isso, mediante um clique, dois times entram em campo.

Em seguida, Casares fala da alternância de poder que existe no São Paulo. Enquanto ele discorre sobre o assunto, a bola, que estava com um jogador do time branco, passa para um jogador do time vermelho.

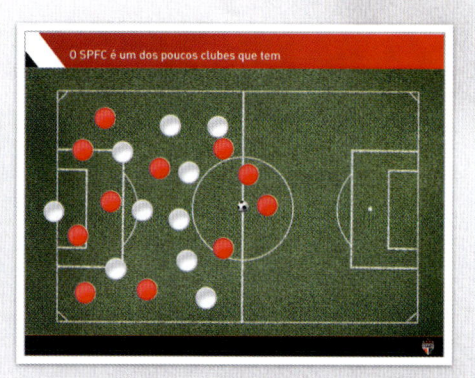

No discurso, em oposição ao que ocorre no São Paulo, o apresentador aponta a desvantagem de alguns clubes não terem alternância de poder. Nesse contexto, uma animação desloca todas as peças do jogo para o mesmo lado do campo.

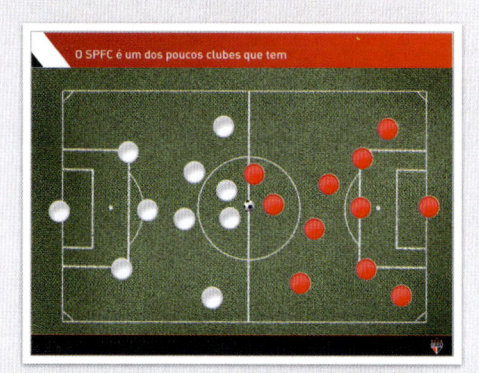

O apresentador ressalta a importância da presença de uma oposição e, mediante um clique, faz com que as peças vermelhas retornem à outra metade do campo.

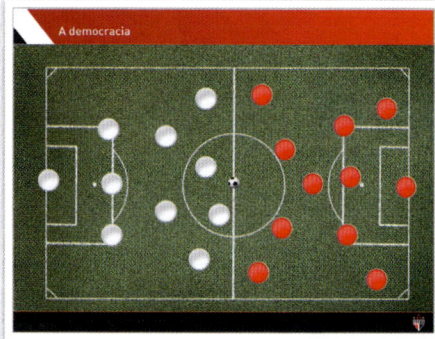

Outro clique e, dessa vez, os jogadores se afastam um pouco uns dos outros. A bola volta para os pés da equipe branca e, no discurso, Casares define a presença de diferentes facções como um remédio contra a mesmice e a favor da oxigenação.

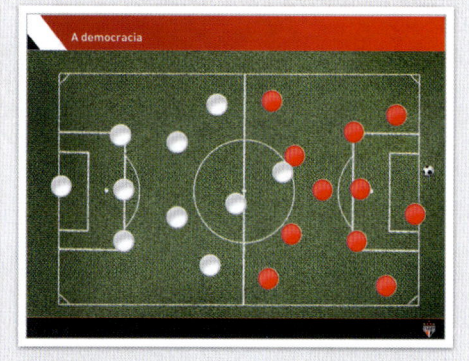

Finalizando a animação, um jogador do time branco passa a bola para outro, que chuta diretamente para o gol. No discurso, Casares chama a atenção para as consequências da oxigenação: resultados positivos para patrocinadores, parceiros, sócios e torcedores.

BULLET POINTS

Os famosos bullet points, tantas vezes numerosos e com grande quantidade de texto, costumam ser o pesadelo das audiências. Muito utilizados em apresentações para não deixar enormes quantidades de texto flutuando na tela, eles acabam sendo malvistos. Embora seja importante não exagerar na dose, os bullet points podem ser bons recursos se utilizados com palavras-chave (jamais com longas sentenças) e com parcimônia. Confira algumas situações em que os bullet points se mostram bastante adequados.

- Na exposição da agenda da apresentação.
- Na síntese de pontos que foram abordados anteriormente.
- Para relacionar funções ou características de um produto ou serviço.
- Para rever os passos de um processo.

É possível usar a linguagem de bullet points, mas camuflar os bullets em si, por meio de incrementos de linguagem visual.

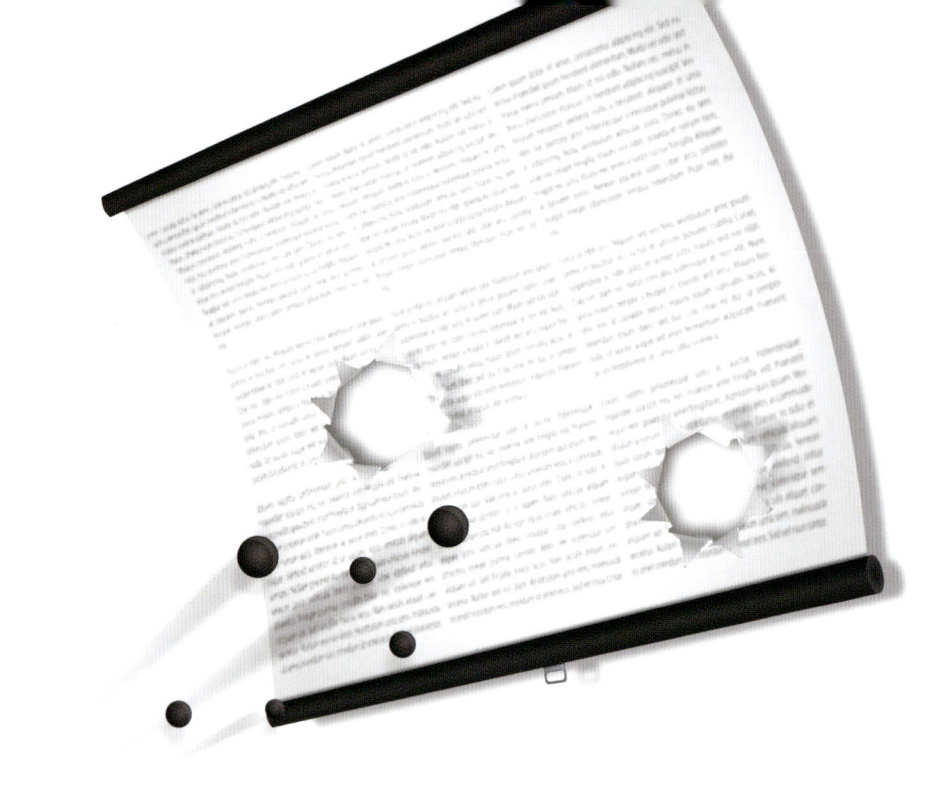

Dados, gráficos e tabelas

O uso de gráficos e tabelas justifica-se apenas se eles ajudarem na sustentação da mensagem principal da apresentação. Se a presença dessas informações for significativa, atente para as representações que se ajustam melhor aos dados que serão mostrados.

Gráficos de linha do tempo: ajudam a mostrar a evolução e as tendências de um cenário.

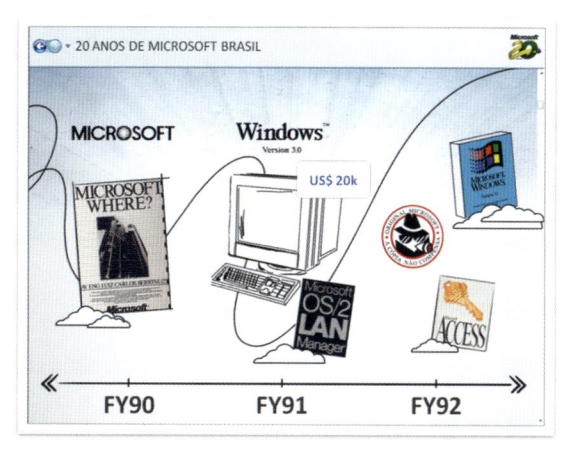

Gráficos de pizza: são adequados para fazer comparações simples, com poucos dados, e ajudam a audiência a entender partes do todo. Considerando um produto qualquer, gráficos de pizza são bons para mostrar percentuais.

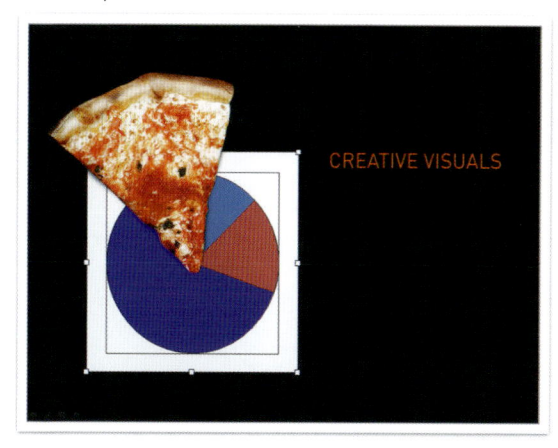

Tabelas: são usadas para fazer análises com duas variáveis. São boas para demonstrar, por exemplo, a evolução das vendas de determinado produto conforme os preços praticados. Abaixo, a tabela indica a densidade demográfica no Brasil em dois momentos distintos.

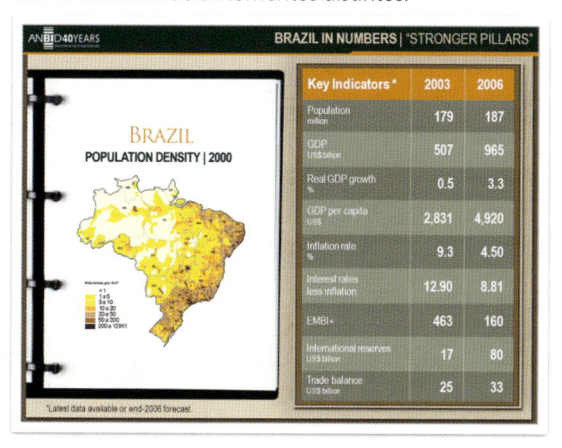

Gráficos de barra: costumam ser utilizados para efeito de comparações quantitativas. Mesmo quando há vários valores a serem comparados, geram boa visualização das diferenças e semelhanças dos dados.

Cap. 2 – Slides: A criação visual

Dicas para apresentação de dados

O uso de gráficos e tabelas justifica-se apenas se eles ajudarem na sustentação da mensagem principal da apresentação. Se a presença dessas informações for significativa, atente para as representações que se ajustam melhor aos dados que serão mostrados.

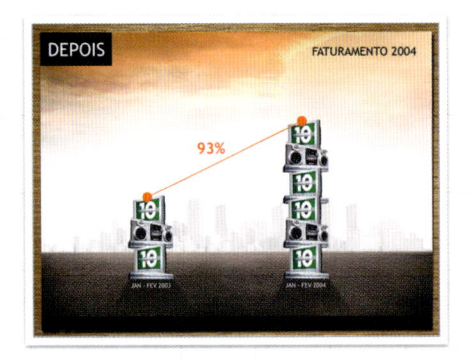

Analise se prefere destacar quantidade ou qualidade

Uma informação numérica pode ser revelada de maneira quantitativa (destacando o número em si) ou qualitativa (destacando o conceito que ele representa). Para optar por uma das formas, pergunte-se sobre o que fará mais sentido para a sustentação da sua mensagem.

Limpe as informações desnecessárias

Faça o possível para manter em seu slide apenas o que é relevante para a audiência ou para a sustentação de sua mensagem. Feita a escolha, elimine o restante. Especialmente se houver muito a dizer, atente para que o visual fique tão *clean* e didático quanto possível.

Destaque o mais importante

Mesmo que haja muitas informações necessárias em um único slide, identifique as mais importantes no contexto e destaque-as com linhas, formas, cores ou tamanho de fonte. Isso evitará que o excesso de informações camufle números importantes.

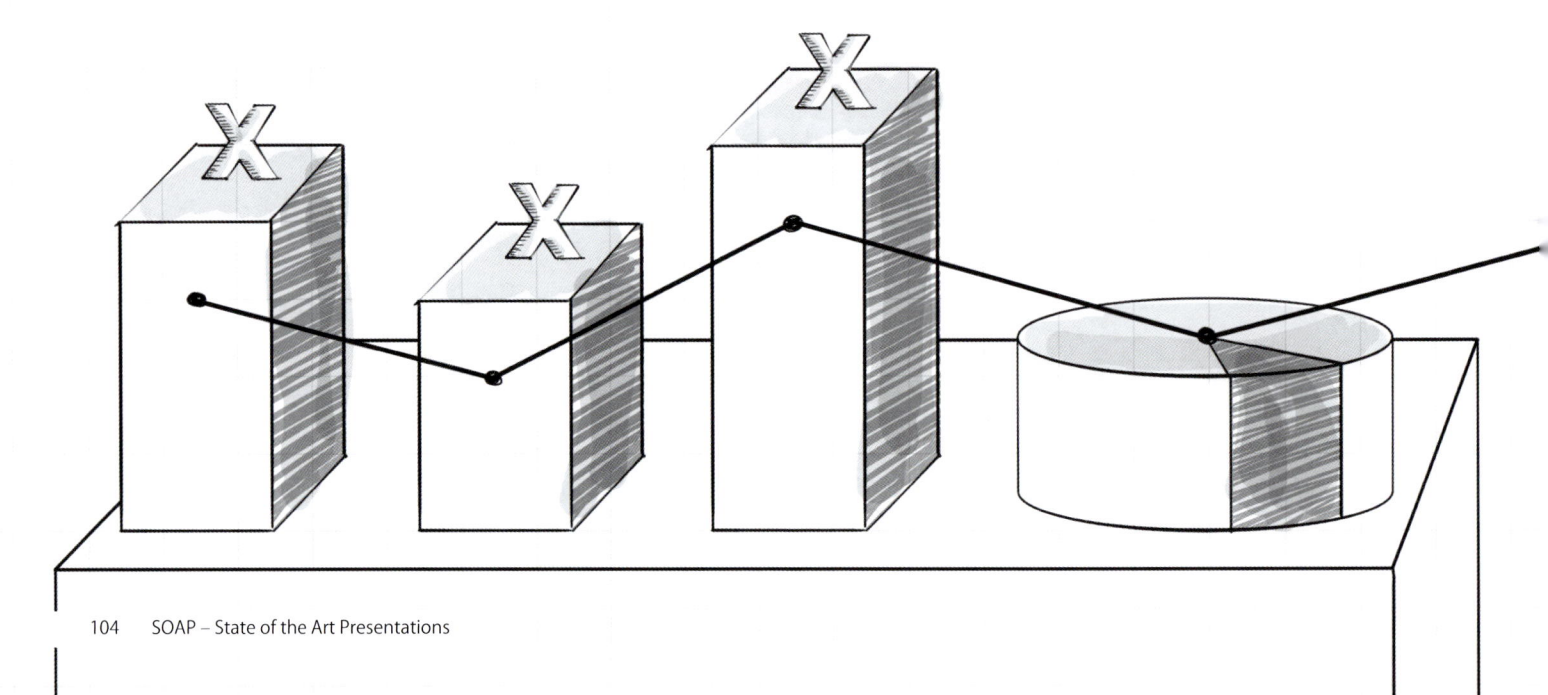

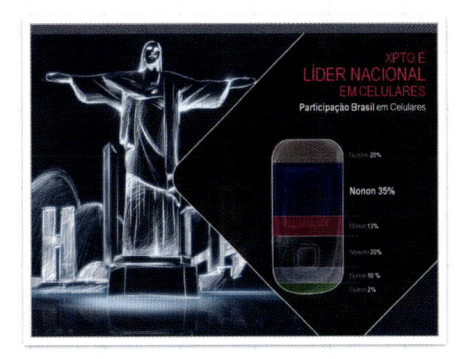

Ilustre gráficos com elementos relevantes

Para acelerar a assimilação das mensagens por parte da audiência, experimente ilustrar os gráficos com imagens relevantes no seu contexto.

Reserve o "possivelmente necessário" para documentos anexos

Você precisa mesmo apresentar muitos números? Às vezes, o apresentador quer ter em mãos dados extras, caso seja questionado pela audiência e precise prestar esclarecimentos. Neste contexto, em vez de expor para a audiência todas as informações disponíveis, é preferível deixar algumas delas em um documento anexo, a ser acessado somente em caso de necessidade.

O QUE REALMENTE INTERESSA?

Destacando as informações mais relevantes, é possível tornar os gráficos mais claros e didáticos.

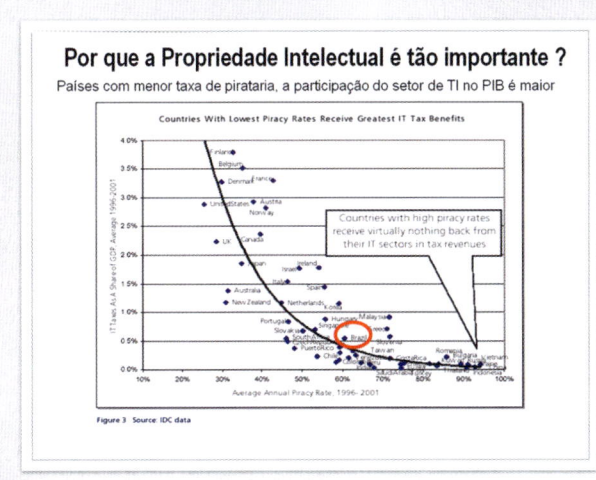

antes 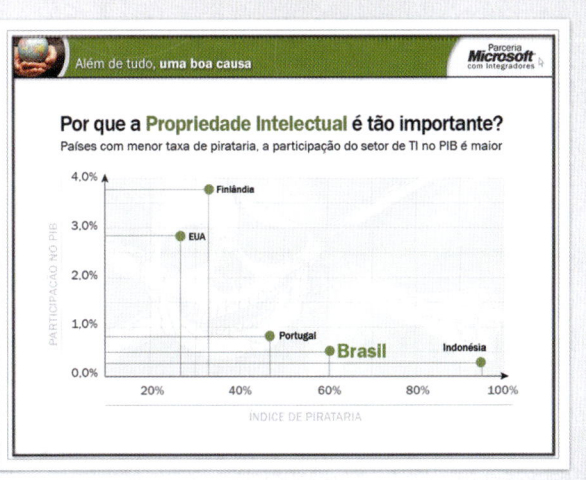   depois

Cap. 2 – Slides: A criação visual

Que abordagem você quer imprimir em seus slides?

Na criação de slides, existem alguns parâmetros que, utilizados com um ou outro enfoque, transformam radicalmente a abordagem e o visual de uma mensagem. Imagine uma mensagem de economia de água... Você prefere ilustrá-la com uma linguagem literal ou metafórica? Mais qualitativa ou quantitativa? Detalhada ou resumida? Confira, a seguir, um exercício de criação feito com variações relativas a esses três parâmetros. Veja como a opção por mensagens mais literais, metafóricas, qualitativas, quantitativas, detalhadas ou resumidas são capazes de gerar slides absolutamente diferentes entre si, mesmo trazendo a mesma mensagem principal.

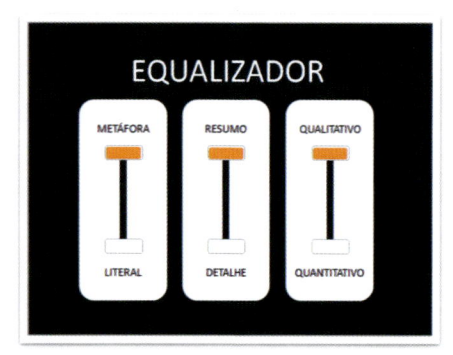

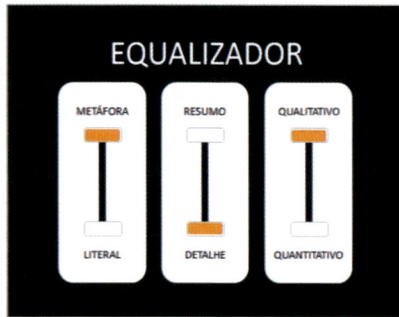

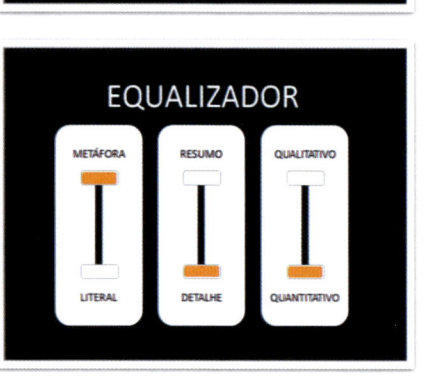

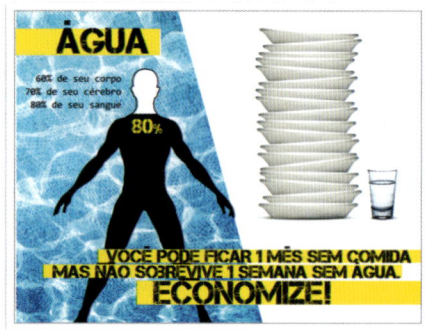

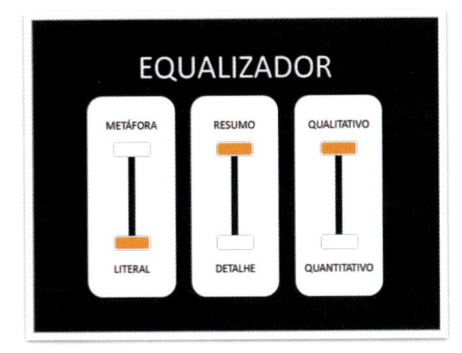

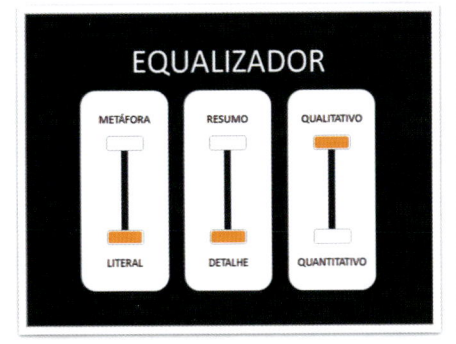

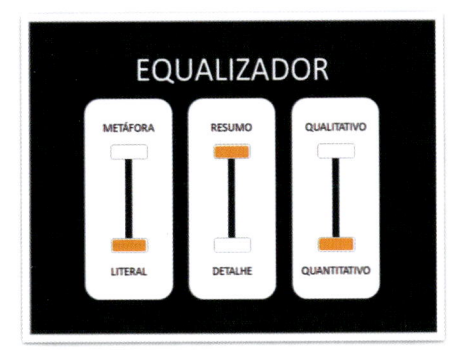

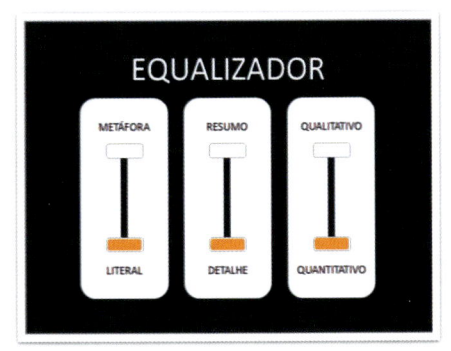

A harmonia visual das apresentações

Independentemente dos elementos gráficos utilizados em seus slides e do tom que você imprimir a cada um deles, é fundamental que, observando-se os slides criados para uma mesma apresentação, seja possível identificá-los como um conjunto, como pertencentes a um mesmo trabalho. Para isso, o material deve ter uma unidade visual ou, mais precisamente, uma identidade visual, com coerência nas escolhas de cores, formas, fontes e outros elementos gráficos. Abordaremos o assunto no próximo capítulo.

Cap. 2 – Slides: A criação visual

Clique para adicionar um título

Clique para adicionar um subtítulo

CAP. 3 - A IDENTIDADE VISUAL

"Pratique design e não decoração. Não faça simplesmente belos tópicos. Em vez disso, mostre as informações de modo a tornar claro algo que seja complexo."

Nancy Duarte

A coerência visual

A identidade visual é um conjunto de parâmetros visuais estabelecidos para servir de base à confecção dos slides. Por mais que cada slide tenha suas particularidades, todos devem seguir alguns padrões relacionados a fontes, formas gráficas, cores e estilos para que a apresentação tenha certa homogeneidade.

Se pensarmos em uma campanha publicitária feita com uma sequência de outdoors, é possível ter uma série de peças distintas, contanto que todas tenham o mesmo estilo, a mesma linguagem, uma característica visual comum que as revele como um conjunto, como parte de uma campanha. O mesmo ocorre com os slides de uma apresentação: eles precisam ter um DNA visual, algo que os caracterize como um conjunto.

O que levar em conta ao criar uma identidade visual?

O primeiro parâmetro a ser levado em conta na criação de uma identidade visual é a personalidade da marca que está por trás da apresentação. Para que os slides fiquem em harmonia com ela, é preciso analisar linguagem e design de logomarca, site, materiais promocionais, campanhas publicitárias etc. Quanto melhores as referências, maior coerência haverá entre a marca e a identidade visual criada para uma apresentação. O tema também deve ser considerado nesse estudo, já que indicará os tipos de elementos que serão utilizados.

A coerência visual fortalece a associação da marca aos conceitos mostrados em uma apresentação. De acordo com marca, produto e tema abordado, pode haver, em uma mesma empresa, apresentações com identidades visuais totalmente diferentes entre si. Por outro lado, quando se trata de palestras sobre um mesmo tema e marca, é possível reaproveitar várias vezes a mesma identidade visual.

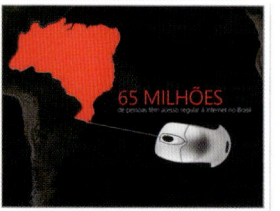

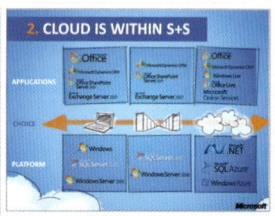

Os elementos determinados na identidade visual

PALETA DE CORES

Ao estabelecer as cores para estampar uma apresentação, considere os seguintes aspectos:

- Que cores estão associadas à marca e à empresa?
- O tema em questão está relacionado a alguma cor?
- E o público, com que cores e tons se identifica?

Um empresário de uma banda de rock que esteja buscando patrocínio para shows pode escolher algo em torno de preto e prata. Uma maternidade oferecendo cursos para gestantes pode construir uma identidade visual com tons pastéis.

Quando se constrói uma identidade visual, vale a pena pensar em diversas cores, definindo as que ficarão em evidência e as que serão secundárias ao longo da apresentação. Na própria construção da identidade podem ser estabelecidas as que irão destacar títulos, as que entrarão em pequenas sentenças e as que ficarão em eventuais bordas e outras marcações visuais. Ainda como parte disso, existe a chance de priorizar cores semelhantes que tenham sutis distinções em tons (construindo um visual mais homogêneo) ou cores complementares (como laranja com azul ou rosa com verde), que geram maior contraste e impacto visual.

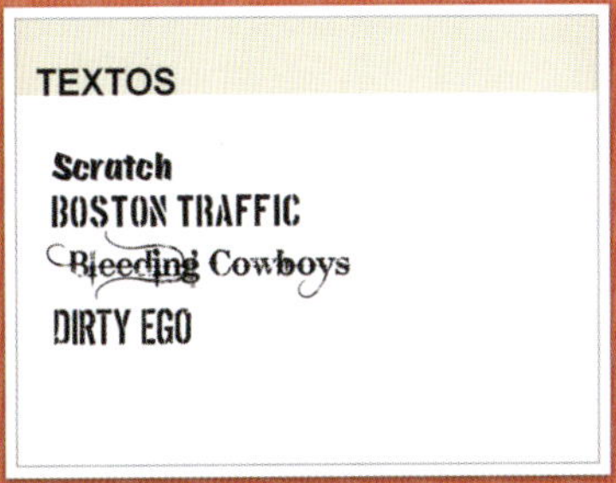

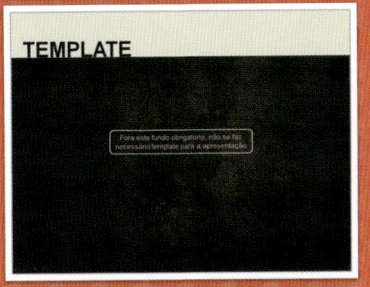

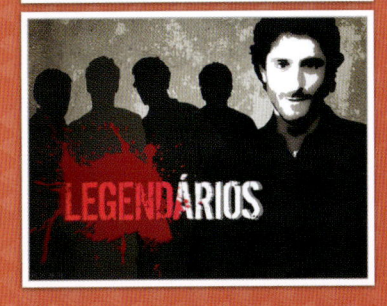

Cap. 3 – A identidade visual   111

QUEM VAI VÊ-LO?

Quando for estabelecer a cor predominante de uma apresentação, leve em conta não apenas marcas, temas e produtos, mas também o contexto em que será feita a apresentação. A Petrobras, por exemplo, tem uma identidade visual para as apresentações nacionais e outra para as apresentações no exterior. No Brasil, a comunicação da marca é verde e amarela; no exterior (exemplos ao lado), é azul.

ESCOLHA DAS FONTES

Na escolha de fontes, sua maior preocupação deve ser em relação à legibilidade. Em geral, um bom tamanho é de 20 a 25 para títulos e de 16 a 18 para textos corridos. Em auditórios grandes, com capacidade para mais de duzentas pessoas, vale a pena recorrer ao tamanho mínimo 18, garantindo boa leitura para todos os presentes.

O tamanho mínimo das fontes é um bom argumento para não lotar slides com textos. Além dos contratempos que isso pode gerar na apresentação (conforme falamos anteriormente), slides com muito texto tornam-se visualmente poluídos. Em vez de prestarem o papel de bom apoio visual, tornam-se confusos e acabam não acrescentando nada à audiência.

A escolha de fontes também é importante. Em muitos casos, é aconselhável recorrer às chamadas "fontes de sistema". São fontes-padrão que acompanham o sistema operacional Windows e, por isso, costumam estar disponíveis em qualquer computador no qual você abrir sua apresentação. Se você usar uma fonte incomum e inserir seu arquivo em um computador que não a tenha disponível, o sistema automaticamente a substituirá por outra fonte, gerando, por vezes, perdas de formatação e prejuízos para o visual como um todo. Entre as fontes de sistema disponíveis, a Arial e a Helvetica são ótimas opções e geram excelente leitura. Trebuchet e Century Gothic também são adequadas, especialmente para quem quer fontes que se diferenciam das comuns. Falando especificamente da Century Gothic, para garantir a legibilidade, é preferível utilizá-la, no mínimo, com tamanho 18 ou 20.

A vantagem das fontes convencionais é que são tiro certo. De todo modo, se você quer inovar, atente às linhas, curvas e aos ângulos da fonte analisada e escolha uma opção coerente com o tom da apresentação. Linhas mais grossas costumam passar algo mais pesado, as mais redondinhas podem soar informais, as com ângulos agudos são mais exóticas... Tenha cuidado especial com as fontes muito desenhadas, cheias de arabescos, que podem dificultar a leitura (não esqueça de que proporcionar boa leitura deve ser o objetivo principal de qualquer fonte!).

Se tiver dúvidas em relação à legibilidade de uma fonte, faça o teste: depois de elaborar o slide, afaste-se um pouco da tela e veja se consegue ler sem nenhum desconforto. Por fim, tenha atenção com o uso de letras maiúsculas. Apostar nelas para destacar dizeres nem sempre funciona. Embora facilite a leitura de algumas palavras isoladas, essa opção pode dificultar a fluidez da leitura de sentenças.

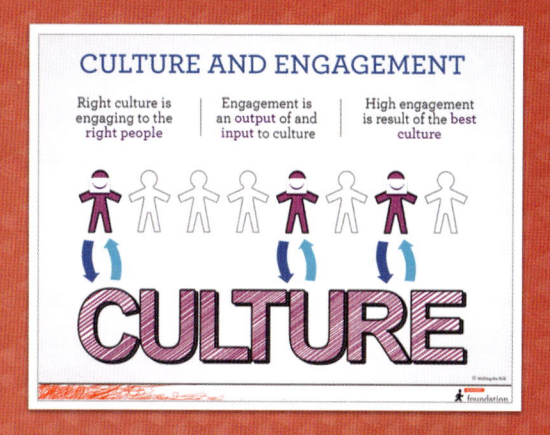

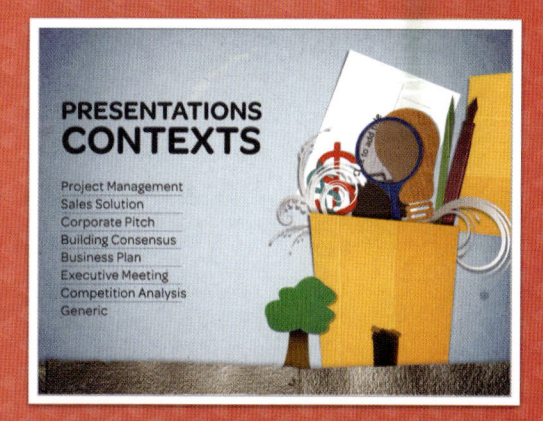

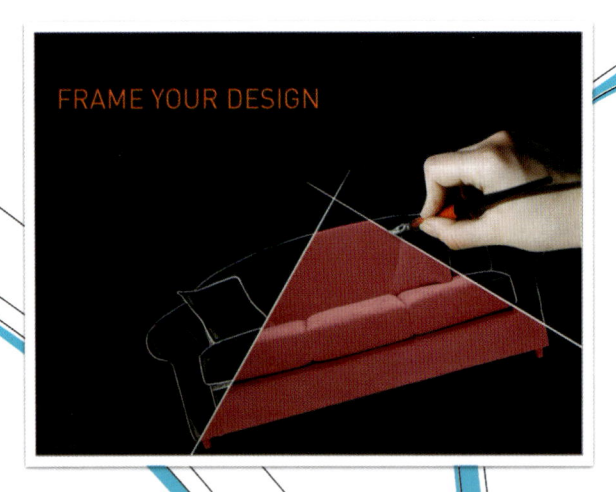

LINHAS

As linhas podem ser bastante proveitosas na confecção de slides, podendo ser utilizadas para organizar o conteúdo de um slide, separar elementos, dar ênfase a algo, emoldurar imagens ou mesmo delimitar margens. No aplicativo Presenter Pro, desenvolvido pela empresa norte-americana Rexi Media, especializada em apresentações e coaching, Carmen Taran explica que as linhas interferem no tom dos slides e com isso ajudam a transmitir emoções e sensações para a audiência. Quando duas ou mais linhas se encontram, por exemplo, é possível observar:

- Ângulos agudos e pontas denotam tensão, tecnologia, formalidade.
- Linhas curvas e suaves expressam mais leveza, um sentimento mais criativo.
- Linhas verticais sequenciais revelam organização e certa rigidez.

Ao escolher um padrão de linhas para a identidade visual de uma apresentação, procure identificar a atmosfera que diferentes tipos conferem aos slides. Além dos ângulos que os encontros entre duas ou mais linhas geram, é importante atentar à espessura delas. Em geral, quanto mais delgadas forem, mais leveza emprestarão aos slides.

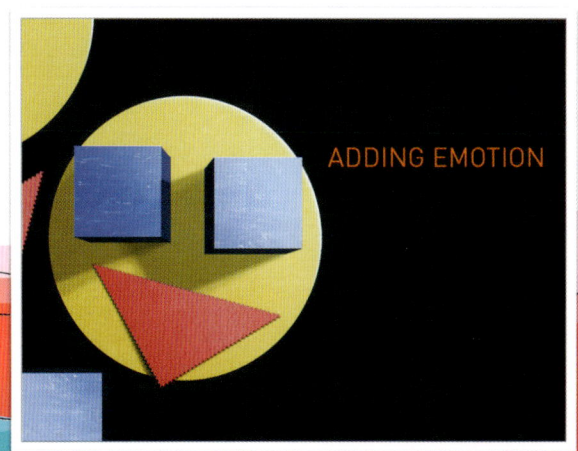

FORMAS

Assim como as linhas, as formas são usadas basicamente para delimitar espaços e destacar objetos e informações. Carmen Taran cita círculos, quadrados, triângulos e retângulos como capazes de:

- Tornar o design mais atraente.
- Organizar ou separar elementos.
- Simbolizar uma ideia.
- Direcionar o olhar da audiência para determinada direção.

Para ela, tanto as formas em si como a maneira como são dispostas podem ajudar a passar sensações e emoções, como a tensão eventualmente gerada por triângulos e o equilíbrio de um quadrado centralizado.

FUNDO DE PÁGINA

Os fundos jamais devem ser vistos como elementos principais de um slide. Eles são coadjuvantes das cenas e, como tal, não devem disputar a atenção com o conteúdo. Conforme define Nancy Duarte em seu livro *Slide:ology*, "os fundos devem ser vistos como superfícies nas quais são dispostos elementos. E não devem ser tomados, eles próprios, como um trabalho de arte".

Quanto mais neutros forem os fundos, melhor será o visual da apresentação. Uma boa opção é recorrer a telas homogêneas em relação à coloração, se possível sem texturas. Fundos pretos ou brancos são ótimos: não poluem, são neutros no que se refere à combinação de cores e permitem a leitura fácil em letras de diversas colorações. Caso queira escolher um deles para uma apresentação, confira algumas diferenças destacadas.

FUNDO PRETO	FUNDO BRANCO
Formal	Informal
Não interfere na luminosidade do ambiente	Ilumina o ambiente
Não funciona bem para impressos	Funciona bem em impressos
Poucas oportunidades para sombreamento	Facilidade de sombreamento
Para ambientes maiores	Para ambientes menores
Permite que se confira brilho a objetos	Não permite que se destaquem objetos por meio da luminosidade

Observe alguns exemplos de fundos neutros:

FUJA DOS TEMPLATES

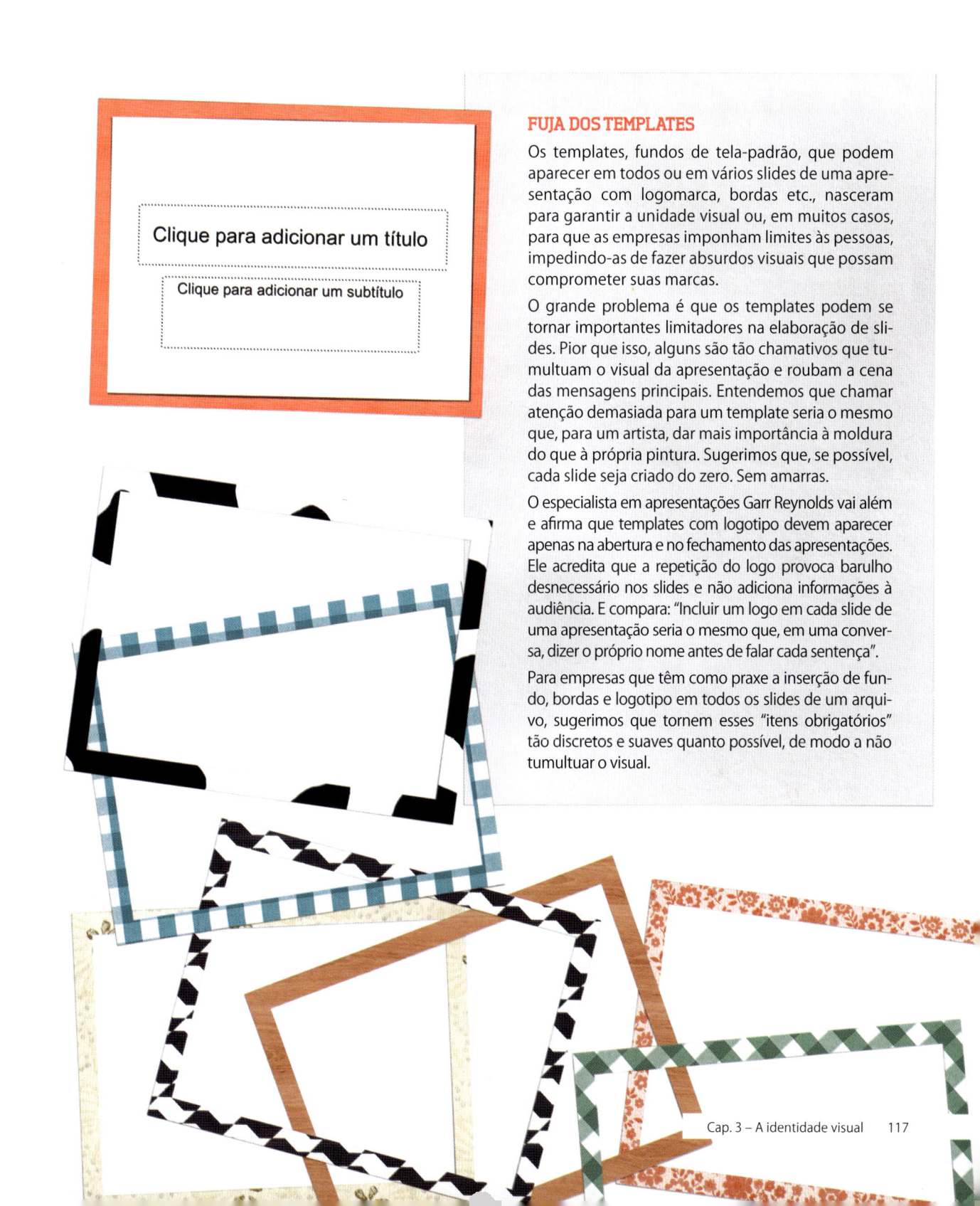

Os templates, fundos de tela-padrão, que podem aparecer em todos ou em vários slides de uma apresentação com logomarca, bordas etc., nasceram para garantir a unidade visual ou, em muitos casos, para que as empresas imponham limites às pessoas, impedindo-as de fazer absurdos visuais que possam comprometer suas marcas.

O grande problema é que os templates podem se tornar importantes limitadores na elaboração de slides. Pior que isso, alguns são tão chamativos que tumultuam o visual da apresentação e roubam a cena das mensagens principais. Entendemos que chamar atenção demasiada para um template seria o mesmo que, para um artista, dar mais importância à moldura do que à própria pintura. Sugerimos que, se possível, cada slide seja criado do zero. Sem amarras.

O especialista em apresentações Garr Reynolds vai além e afirma que templates com logotipo devem aparecer apenas na abertura e no fechamento das apresentações. Ele acredita que a repetição do logo provoca barulho desnecessário nos slides e não adiciona informações à audiência. E compara: "Incluir um logo em cada slide de uma apresentação seria o mesmo que, em uma conversa, dizer o próprio nome antes de falar cada sentença".

Para empresas que têm como praxe a inserção de fundo, bordas e logotipo em todos os slides de um arquivo, sugerimos que tornem esses "itens obrigatórios" tão discretos e suaves quanto possível, de modo a não tumultuar o visual.

ELEMENTOS GRÁFICOS

Elementos gráficos são os vários objetos que compõem as mensagens visuais dos slides. Em uma apresentação sobre finanças, representações de cédulas, moedas, cifrões e cartões de crédito são alguns dos elementos gráficos.

Deve haver coerência, ao longo da apresentação, em relação à maneira como são mostrados esses elementos. Serão exibidas fotos das cédulas? Quem sabe, desenhos em preto e branco? Talvez, ícones coloridos? Esses elementos estarão em molduras ou serão estourados nos slides?

A partir do momento em que forem estipulados os elementos e o estilo, o ideal é empregá-los na maior parte da apresentação. Mas atenção: misturar estilos é permitido e, como veremos, existem ocasiões em que essa mistura pode, inclusive, ajudar a compor a narrativa visual (como em ilustrações que no desfecho de uma história se transformam em fotos).

Nas páginas a seguir, confira alguns exemplos de elementos gráficos e seus respectivos usos.

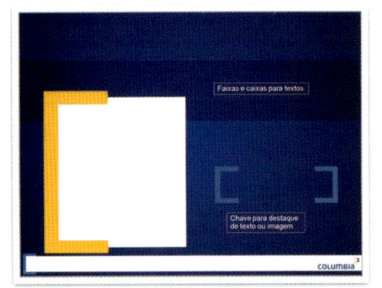

Elementos gráficos em uma identidade visual.

Elementos gráficos aplicados em slide.

Fotos

Em comunicação há um conceito, denominado âncora, de acordo com o qual para cada estímulo externo existe uma sensação interna. Pode ser um perfume, o rosto de uma pessoa conhecida, uma música, uma planta, determinada cena...

Quando uma imagem chega aos olhos de uma pessoa, automaticamente evoca lembranças e sensações que podem ser positivas ou negativas. Em uma apresentação, pode-se dizer que a audiência estará mais ou menos receptiva às mensagens dependendo das sensações que o conjunto trouxer à tona.

Ao selecionar imagens para a criação de slides, portanto, prefira as mais propícias a criar conexões positivas com a audiência. Essas imagens, além de despertar sensações, devem imprimir lembranças na memória de quem assiste à apresentação. Referindo-se ao chamado efeito da superioridade da imagem, o autor Garr Reynolds explica que, diante de uma audiência, imagens têm apelo muito maior que as palavras, especialmente quando a exposição ocorre por curto período de tempo. Resumindo, a audiência retém melhor o conteúdo do discurso quando ele é associado a fotos, em vez de ser simplesmente dito ou lido pelo apresentador.

Supondo que o diretor comercial de uma empresa, em apresentação feita para a diretoria, queira justificar a perda de percentual de mercado em decorrência da postura da concorrência... Ele pode revelar essa informação com slide listando os argumentos ou mostrar uma imagem impactante e deixar as informações para o discurso. Observe a diferença:

O discurso

Um conceito

A BUSCA PELAS IMAGENS

Se optar pelo uso de fotos na elaboração de slides, considere as várias possibilidades para o levantamento de imagens.

- Estoque de imagens da empresa: caso esteja criando uma apresentação corporativa, informe-se sobre eventual banco de fotos da empresa. Em muitas delas, o departamento de marketing conta com um bom leque de opções.
- Confecção de fotos: dependendo da imagem que precisar, avalie a possibilidade de fazer os cliques você mesmo. Com um pouco de criatividade, é possível conseguir bons resultados.
- Bancos de imagens profissionais: em sites de busca é possível encontrar bancos de imagens, com variadas políticas relativas ao uso de fotos. Alguns disponibilizam imagens gratuitamente, outros exigem pagamento conforme o tamanho e local onde serão usadas. Antes de fazer os downloads, informe-se nos próprios sites sobre as normas de uso. Listamos aqui três endereços:

    www.thinkstockphotos.com
    www.freedigitalphotos.net
    www.morguefile.com

- Selecionadas as fotos, avalie se irá utilizá-las em sua versão original ou se fará algum tratamento e diferenciação.

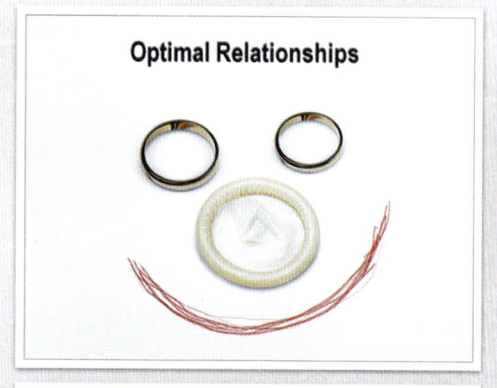

Com criatividade, cliques bastante simples podem ilustrar uma série de conceitos.

Foto-objeto

Ainda falando em fotos, podemos ter uma imagem contextualizada em uma "foto completa" ou recortada. Chamamos a foto recortada, sem fundo, de foto-objeto. Em uma apresentação sobre nutrição, por exemplo, podemos ter fotos recortadas de diversos alimentos, como frutas, legumes, verduras, carnes e pães. Em uma apresentação feita com a metáfora da infância, por sua vez, podem ser usadas imagens de brinquedos e de outros itens que remetem a essa fase.

A opção por foto-objeto é muito adequada para quem faz apresentações com poucos recursos, já que com uma rápida procura por imagens em sites de busca costuma ser fácil encontrá-las sobre diversos temas. Bastam algumas opções relacionadas ao tema da apresentação e estarão garantidos os elementos para a confecção de slides. O recurso ajuda a compor uma linguagem clean e, por direcionar a audiência para um objeto específico sem dar margem a interpretações, contribui com a assimilação e retenção de informações.

Clipart

Em uma apresentação corporativa, fuja tanto quanto possível dos cliparts, aqueles famosos ícones disponíveis em seu computador. Além de banalizar as apresentações (por torná-las todas iguais), eles podem conferir aspecto infantil ao material. Desaconselhamos o uso desses ícones, pois levam o visual ao lugar-comum e assim torna-se difícil impactar e surpreender a audiência.

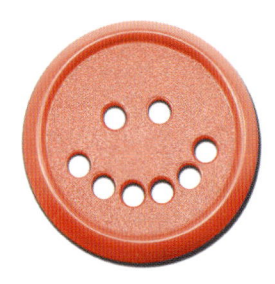

Ícones customizados

Os ícones são imagens simplificadas e universais (como placas e sinalizações) e podem ser ótima alternativa para ilustrações. Ao optar por utilizá-los em uma apresentação, o ideal é desenhar ícones específicos. No momento da criação, mais uma vantagem: por serem imagens simplificadas, os ícones podem ser baseados em formas geométricas convencionais e sua confecção nem sempre requer grandes habilidades artísticas.

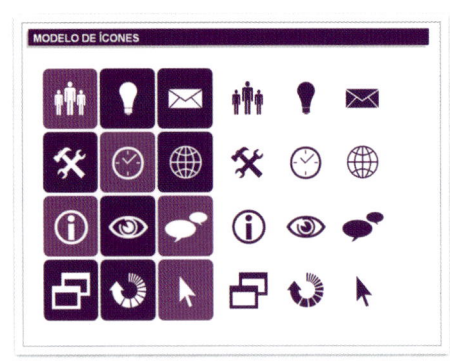

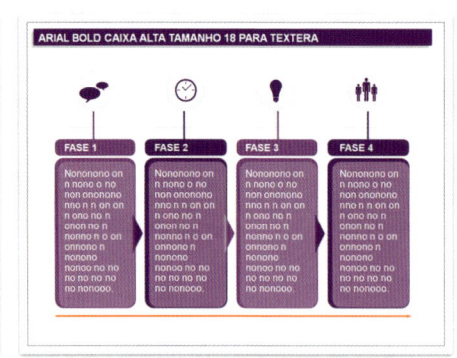

Fonte como imagem

Alterando formas, preenchimento e cores das letras, é possível fazer com que palavras inseridas em slides adquiram um significado visual, além do verbal. Em uma apresentação sobre escassez de recursos naturais, pode-se escrever "reservatórios de água" com letras vazadas, que mostrem por trás um volume de água se reduzindo gradativamente, da primeira à última letra. O texto, nesse caso, extrapola o verbal e acaba funcionando como linguagem visual. A seguir, confira alguns exemplos de fontes trabalhadas com criatividade:

Desenhos e ilustrações

Na contramão da sofisticação do visual, existe um movimento de volta às origens do desenho no papel, havendo, inclusive, autores que defendem o desenho, até em suas formas mais rudimentares, como importante facilitador da comunicação.

Em um seminário ocorrido em 2009, no evento VizThink, o consultor Dan Roam revelou como ajudou um grupo de executivos de uma grande multinacional de TI a visualizar um problema ao desenhá-lo em um pedaço de papel. E contou a história de um secretário de Estado americano que só percebeu a relação entre a quantidade de impostos cobrados e a receita acumulada quando viu no papel a curva de receita caindo e os impostos aumentando. O pensamento visual ajudou a traçar o rumo de um país.

Há quem diga que quanto mais humanos os desenhos, mais humanas as respostas a eles – mas também não podemos ignorar a eficiência de ilustrações digitalizadas e estilizadas. Nas apresentações corporativas, os dois recursos são ótimos, já que, sem limites, permitem que sejam reveladas as cenas mais inusitadas que se possa imaginar, por meio de caricaturas, quadrinhos etc.

O LÁPIS, O PAPEL E A VERSATILIDADE NA COMUNICAÇÃO

Segundo dia de discussões sobre o neoconsumidor no 12º Fórum de Varejo da América Latina. Em um painel de seis executivos, o vice-presidente do Pão de Açúcar, Hugo Bethlem, seria o quinto a se apresentar. Teria de 15 a 20 minutos para falar e, nesse contexto, queria se sobressair, fazer uma apresentação marcante, e voltar as atenções para o Pão de Açúcar.

Ao criar seu roteiro, Bethlem não quis abordar tendências nem fazer reflexões filosóficas sobre o neoconsumidor. Em vez disso, preferiu retratar o dia comum desse consumidor e de sua esposa, mostrando seus vários pontos de contato com o Pão de Açúcar por meio da tecnologia.

Assim, ao longo de um dia comum, o casal teve mais de dez interações com o grupo por meio da tecnologia, como compra no Pão de Açúcar Delivery pelo computador, impressão de fotobook no site extra.com, compra de presente no site do Ponto Frio e escolha de diversos itens no sistema *personal shop* (que possibilita que se façam compras passando um leitor de código de barras nos produtos desejados, sem uso de carrinho nem manipulação imediata de itens – tudo é entregue em casa posteriormente). Depois de revelar essas interações do ponto de vista do consumidor, o executivo relacionou as várias ferramentas utilizadas pelo Pão de Açúcar para garantir essas operações inteligentes.

A narrativa, por si só, já seria impactante, mas a apresentação contou com mais um detalhe fundamental: o consumidor apresentado se chamava Hugo e foi uma caricatura do próprio Hugo Bethlem. Suas ações foram todas reveladas por desenhos. Apenas os slides que destacavam as ferramentas tecnológicas que sustentavam as interações foram feitos com o uso de fotos.

O desenho, portanto, cumpriu uma série de papéis:

- Surpreendeu a audiência ao revelar uma caricatura do apresentador.
- Despertou empatia na audiência, que se identificava com passagens do personagem caracterizado.
- Demarcou todas as passagens referentes ao dia de Hugo e de sua esposa (diferenciando-as das passagens direcionadas a mostrar ferramentas tecnológicas).

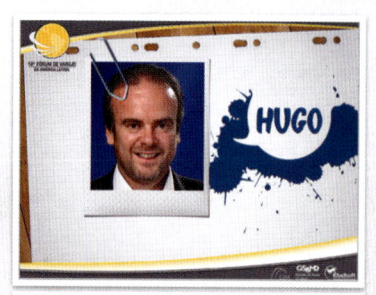

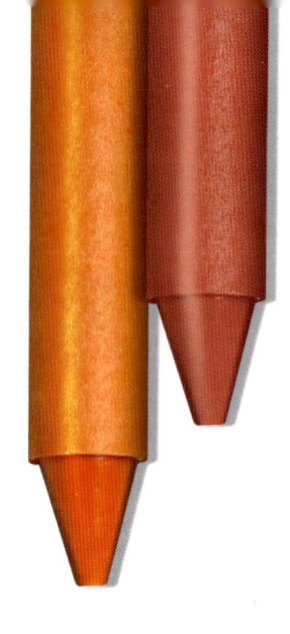

Cap. 3 – A identidade visual

Estilos de identidade visual

Os elementos escolhidos para compor a identidade visual e a forma como eles são agrupados são fatores determinantes do tom ou estilo da apresentação. Este estilo, por sua vez, influencia diretamente a experiência de quem assiste. Não existe certo ou errado, mas sim uma adequação que deve ser feita para que o visual fique com a cara da marca, do apresentador e dos valores da audiência.

Confira, abaixo, alguns estilos:

Minimalista

Preenchido

Formal

Informal

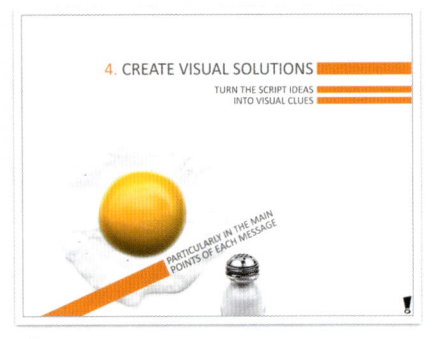

Clean

ESTILO CLEAN: QUANDO MENOS É MAIS

No livro *Presentation Zen*, Garr Reynolds defende a criação de slides em estilo clean e revela os princípios e técnicas que aplica no design de apresentações. Em uma analogia aos sinais e ruídos medidos em comunicações via rádio, ele sustenta que, na confecção de slides, excelência significa se ater aos sinais, que são as informações relevantes. Paralelamente, Reynolds sugere que se fuja dos ruídos ou informações irrelevantes que, tal qual interferências de rádio, prejudicam os sinais. Ele detalha: "Assegurar o maior índice possível de sinais em relação a ruídos significa comunicar claramente, com o mínimo de degradação da mensagem. A degradação visual pode ocorrer de diversas formas, como ao selecionar tabelas inapropriadas, ao usar rótulos e ícones ambíguos ou ao dar ênfase desnecessária em itens como linhas, formas, símbolos e logos, que não têm papel decisivo na sustentação da mensagem".

É interessante notar que, mesmo defendendo o princípio de que menos é mais, o autor destaca o benefício que pode ser conferido a uma apresentação incluindo "informações emocionais" nos slides. Ele admite que a imagem de uma paisagem agradável e coerente com o roteiro pode beneficiar a comunicação simplesmente por tocar a audiência, mesmo que não acrescente informações racionais e objetivas.

Abaixo, confira alguns slides elaborados em estilo clean, elaborados pela SOAP.

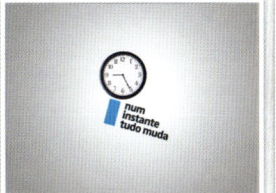

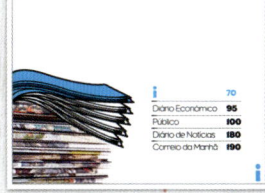

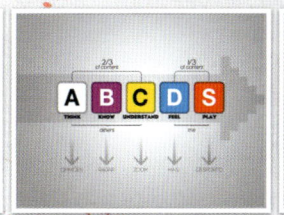

Vimos como uma identidade visual pode ser formada e sua importância para a coerência visual de uma apresentação. Confira, a seguir, uma identidade visual completa, que pode servir de base para a criação de slides para uma apresentação.

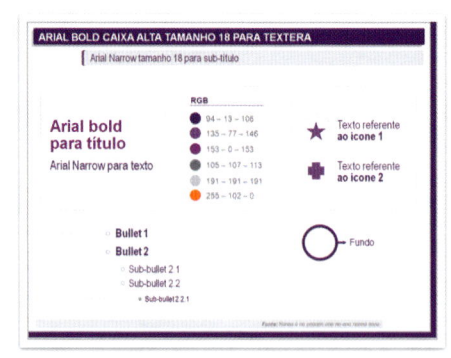

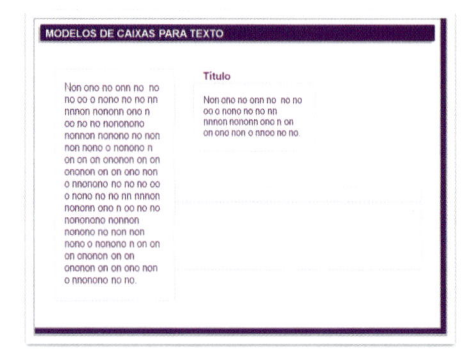

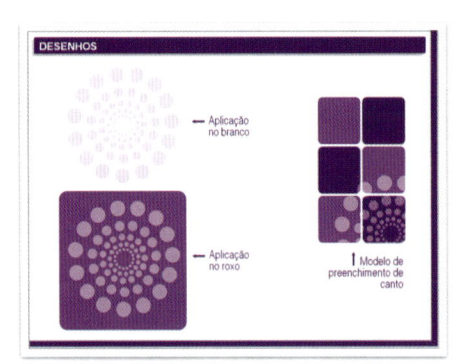

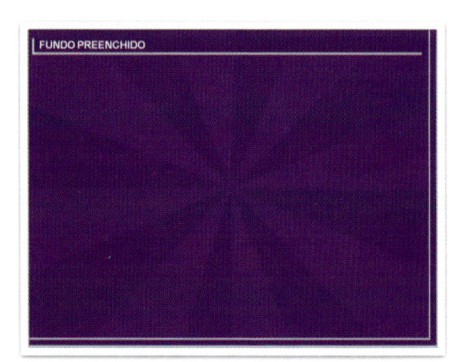

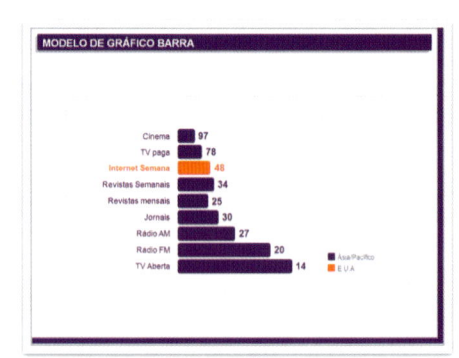

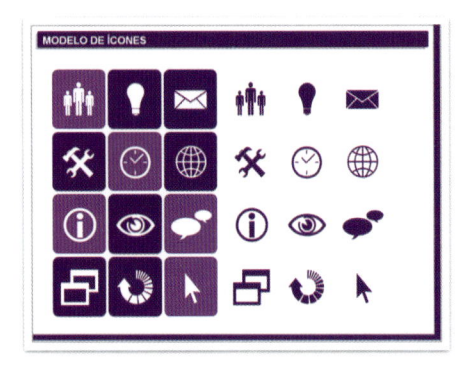

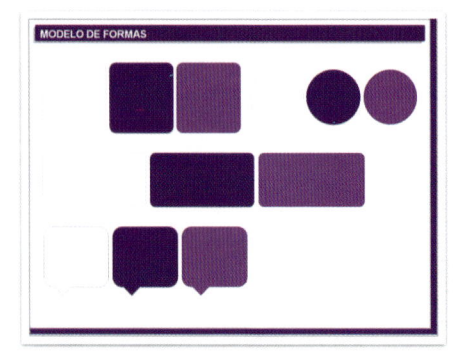

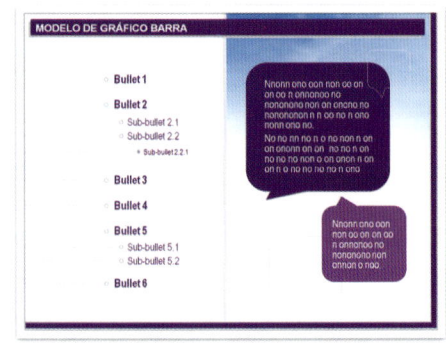

José Roberto Guimarães

UMA COMPLETA REFORMULAÇÃO NARRATIVA E VISUAL

Técnico da Seleção Brasileira de Voleibol Feminino, José Roberto Guimarães já fez várias palestras ao longo de sua carreira. Os convites começaram a aparecer com mais frequência depois das Olimpíadas de Barcelona, em 1992, quando ganhou seu primeiro ouro olímpico como técnico da equipe masculina de vôlei. A partir de 2008, depois do ouro nas Olimpíadas de Pequim (dessa vez à frente do time feminino), esses convites se tornaram ainda mais recorrentes.

Focadas em liderança, motivação e gestão de equipe, as palestras eram elaboradas pelo próprio José Roberto com a ajuda de alguns familiares. Eles pensavam nas histórias que seriam contadas, montavam alguns slides e o material estava pronto.

No início de 2010, José Roberto Guimarães decidiu aprimorar sua apresentação. Submeteu o material a uma reformulação completa de conteúdo e visual. Depois de levantar pontos fortes de sua trajetória, ele os estruturou de maneira coerente e incorporou-os em um novo modelo de palestra.

"Eu nunca tinha pensado em um roteiro, em uma sequência de slides coerente com ele – e não imaginava que isso poderia gerar uma palestra mais harmônica e muito mais de acordo com as passagens que vivi. Eu simplesmente me lembrava de um fato, de outro, e ia inserindo tudo aquilo no discurso. Com uma palestra bem estruturada, o discurso fica muito mais fácil. Isso me deixa mais à vontade diante de um auditório e tenho certeza de que a qualidade melhorou muito também para quem me assiste."

SUA HISTÓRIA

Cap. 3 – A identidade visual

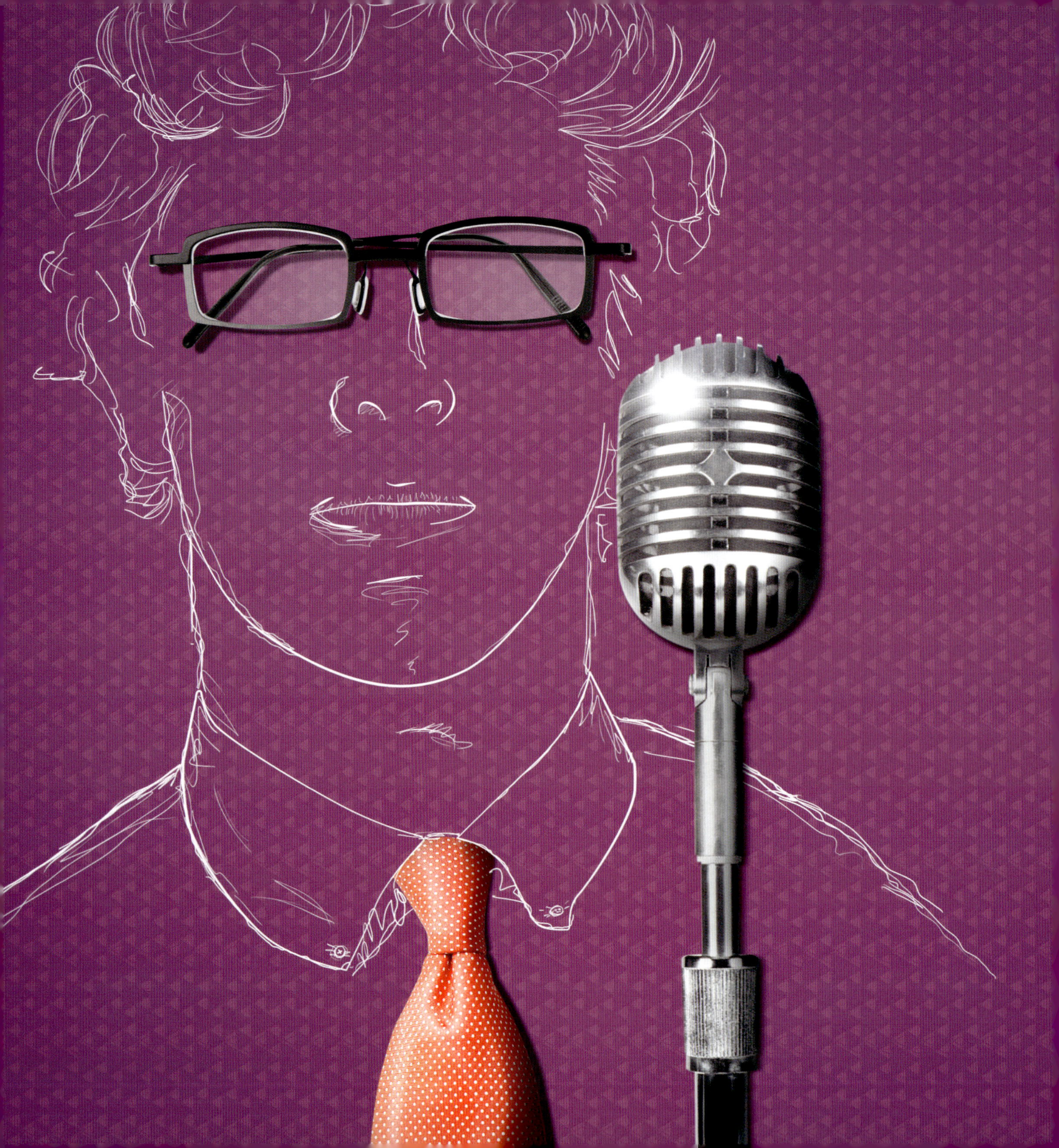

CAP. 4 – O APRESENTADOR

"A boa capacidade de comunicação em público aumenta o seu valor de capital humano em 50%."

Warren Buffett

Tirando o máximo do apresentador

Roteiro pronto, slides montados, mensagem principal em destaque: se você fez a lição de casa até este momento, se está com um material bem estruturado, você tem tudo para realizar uma ótima apresentação. Qualquer pessoa – independentemente de seu estilo e características pessoais – tem potencial para dar um show diante de uma audiência. Para isso, o primeiro passo é ensaiar o roteiro exaustivamente, de modo a se transformar em um autêntico contador de histórias.

Resgatemos a figura da avó contadora de histórias. Se ela se dispõe a ler uma história para os netos, se literalmente lê página por página de maneira monotônica e inexpressiva, as chances de as crianças dormirem na terceira página são grandes. Se o objetivo dela for fazer os netos dormirem, missão cumprida! Mas se o objetivo for entreter as crianças, conduzi-las a uma experiência memorável, inserir aquela história em seu imaginário, a avó deverá dar outra tônica à leitura.

O bom contador de histórias teatraliza, faz suspense antes de revelar o que está por vir, lança questões, brinca com tons de voz e confere dinamismo à ação. Mesmo que leia alguns trechos, conhece bem o enredo, tem o domínio da narrativa, conhece os pontos fortes da trama e chama a atenção do ouvinte para eles.

Em uma apresentação corporativa, da mesma forma, o bom orador precisa ter absoluta intimidade com seu tema. Esse domínio permitirá que ele imprima expressividade no discurso e não faça a audiência cair no tédio e na dispersão. O apresentador que domina a narrativa e teatraliza, envolve a audiência, desperta o interesse e faz com que as pessoas de fato internalizem os conceitos por ele passados.

Para se sair um excelente contador de histórias nos palcos e nas salas de reuniões, há alguns ingredientes importantes. É preciso dominar o tema e o roteiro, lidar bem com as referências visuais, fazer bom uso da voz, da linguagem e até mesmo do olhar.

O domínio do roteiro e a interação com o apoio visual

Uma apresentação pode ser comparada a um espetáculo ao vivo e, por isso, a pessoa que irá conduzi-la deve subir ao palco muito bem preparada. Além de todos os esforços relacionados à elaboração do roteiro e do visual, o apresentador precisa ter a história na cabeça a ponto de poder contá-la até mesmo sem o apoio dos slides. Importante para tornar a apresentação fluente, o domínio do roteiro confere segurança a ele e faz com que transmita credibilidade à audiência.

A harmonia do apresentador com o apoio visual também é primordial. Os slides, complementares ao discurso, devem estar em permanente sincronismo com a fala. O apresentador precisa estar seguro em relação às imagens, dominando sua sequência mesmo antes de elas aparecerem na tela.

Um recurso interessante nessa interação é criar expectativa na audiência, antecipando as informações dos slides. O apresentador introduz oralmente determinado conceito e, em seguida, revela o slide que complementa a informação anunciada. A estratégia gera suspense e confere um *timing* interessante à performance – para ser posta em prática, no entanto, exige que o apresentador tenha pleno domínio da sequência de slides, e saiba bem o que vem a seguir.

Danieli Haloten

OS DESAFIOS DE UMA ATRIZ CEGA AO CONDUZIR SLIDES EM PALESTRAS CORPORATIVAS

A curitibana Danieli Haloten nasceu com glaucoma, conseguiu enxergar um pouco até o final da adolescência e, aos 17 anos, tornou-se totalmente cega. Superando as limitações, estudou, formou-se jornalista, ingressou em trabalhos como atriz e até em novela da Rede Globo chegou a atuar.

No ambiente corporativo, ela também conquistou seu espaço. Com a palestra "Abra bem os olhos, supere a cegueira do dia a dia", Danieli se propôs a revelar nas empresas minúcias que muitas vezes passam despercebidas diante dos olhos mais atentos. São problemas de comunicação, dificuldades de se colocar no lugar de terceiros e outras questões aparentemente simples, mas que geram importantes obstáculos em empresas de todos os portes.

A atriz, que muitas vezes havia feito palestras em instituições relacionadas a deficientes visuais, decidiu ingressar no ambiente corporativo comunicando à maneira desse público. Demonstrando extremo foco na audiência, abraçou o desafio de conciliar mensagens visuais ao seu discurso e investiu em slides que não lhe dizem nada e, ainda por cima, impõem importantes desafios à sua atuação.

Ao fazer suas palestras, ela usa um ponto de retorno no ouvido. Toda vez que muda um slide, um programa de voz lhe diz o que está na tela, garantindo que seu discurso esteja sempre sincronizado às imagens exibidas. O interessante é que, em vez de revelar apenas palavras-chave, o programa diz a Danieli detalhes do que está na tela, gerando uma série de mensagens auditivas que ela precisa ignorar enquanto dá sequência a seu discurso.

O desafio é grande, mas com muito treino Danieli conseguiu dominar a prática. O interessante é que a audiência, que assiste à sua palestra com o olhar alternado entre a apresentadora e a tela, nem imagina as manobras auditivas e cognitivas que ela tem de fazer para harmonizar a fala com as imagens que não vê. São desafios de uma apresentadora em prol da audiência.

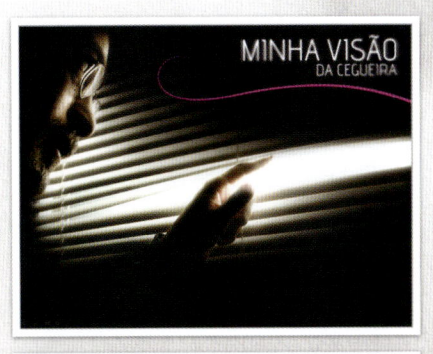

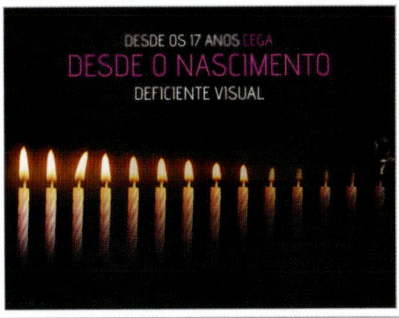

Como treinar para uma apresentação?

Compreendida a importância de dominar o roteiro e o material de apoio visual de uma apresentação, vêm as dúvidas: como atingir o domínio esperado? Existe uma maneira mais adequada para o treinamento de apresentações?

O próprio processo de confecção de roteiro e slides pode ser considerado um início de treinamento. Quanto mais participação o apresentador tiver nessa fase, mais domínio ele terá sobre o material. Quando tudo estiver pronto, de qualquer forma, uma dedicação ao treinamento é fundamental.

Além de preparar o apresentador para a performance, o treinamento reduz a ansiedade e as expectativas que precedem um evento importante. É natural que algumas pessoas se intimidem diante da perspectiva de subir ao palco e sintam alguma insegurança em relação a eventuais interferências da audiência e de seu próprio estado emocional. Nessa hora, mais uma vez, aparece a importância do bom preparo: ele torna o apresentador mais confiante e tranquilo e aumenta as chances de a apresentação fluir quase que espontaneamente. O treinamento pode incluir várias etapas – confira abaixo.

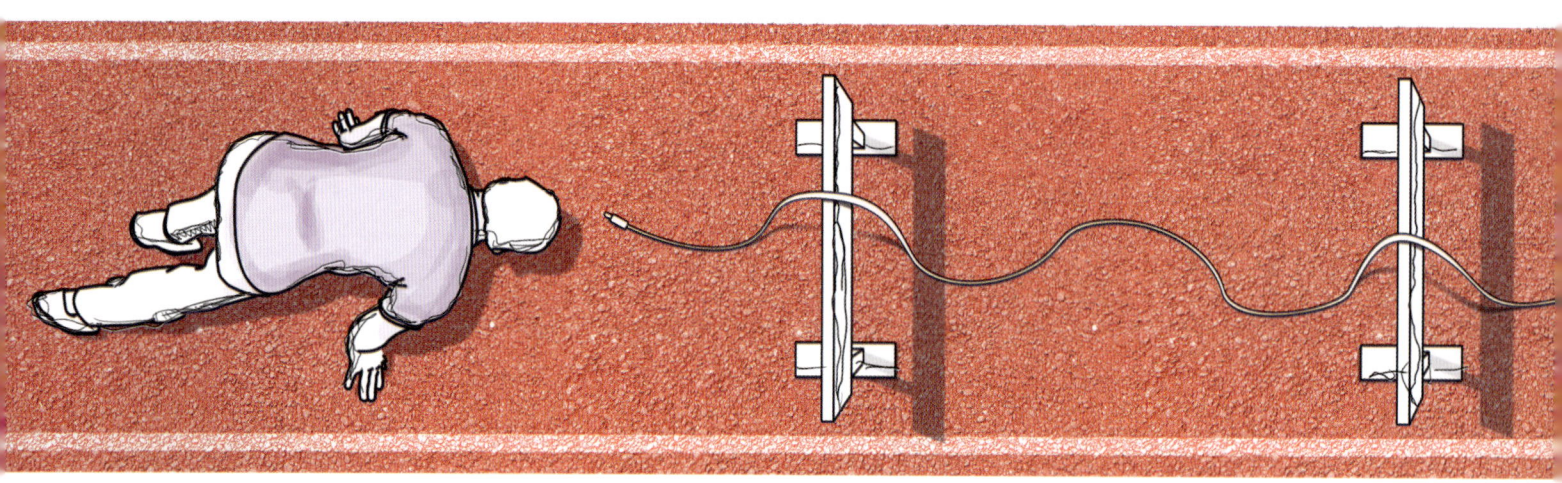

1. ROTEIRO E SLIDES COMO APOIO

Baseando-se especialmente no roteiro, mas tendo também os slides como apoio, treine sua fala exaustivamente. Comece usando o conteúdo integral e, aos poucos, vá retirando o grosso do texto e mantendo apenas palavras-chave como referência. Em vez de decorar a apresentação, procure compreendê-la. Dessa forma você pode dar espaço à improvisação, uma das grandes ferramentas de um apresentador.

2. VISÃO MACRO

Quando estiver com certo domínio do discurso, treine a apresentação no modo "classificação de slides" do PowerPoint. Usando como referência apenas o conjunto de slides em miniatura, exercite a visão macro da palestra e adquira certa independência em relação aos dizeres contidos na tela. Falando as mensagens à sua maneira, você investe na fluência da apresentação. O objetivo é fazer o discurso deslanchar tendo como único apoio um olhar superficial sobre os slides.

Durante este treinamento, procure entender os blocos da apresentação e como eles estão interligados. Isto é a visão macro, ou seja, cada parte tem uma mensagem central que será revelada no discurso e nos slides. Comparando com um filme em DVD, seria o mesmo que visualizar as imagens pequenas, associadas a títulos, no modo Menu.

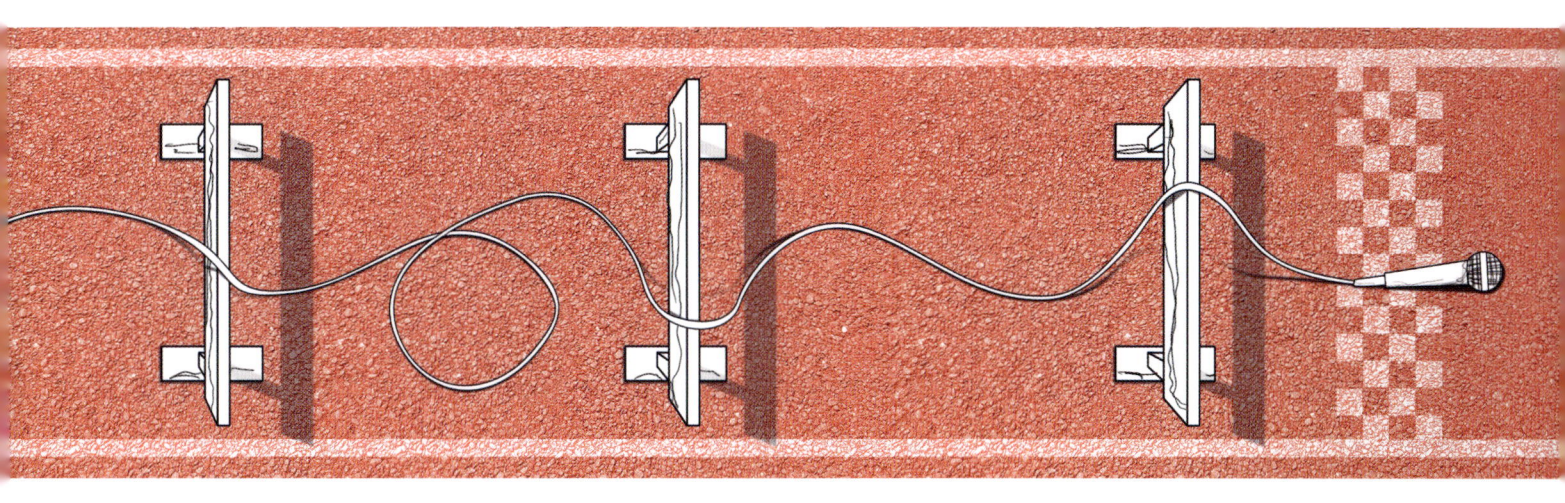

3. SLIDES UM A UM

Já com bom domínio da apresentação, faça um treino diante da tela, passando os slides individualmente. Atente ao *timing* das mudanças de slide em relação ao discurso. Se houver animações, sincronize-as com sua fala. Importante: não deixe os slides dominarem você. Procure iniciar cada parte do discurso instantes antes de cada tela ser mostrada. Dessa forma você demonstrará segurança e fluência.

4. SEM REFERÊNCIAS VISUAIS

Para finalizar o treinamento, experimente fazer a apresentação sem nenhum apoio visual. Se tiver dificuldade, recorra a alguns termos-chave e retire-os aos poucos, no decorrer do treinamento. Quando conseguir fazer seu discurso sem nenhum apoio visual, quando estiver independente dos slides, você estará apto a enfrentar seu público com segurança. Vale também contar a sua história em 10% do tempo que você terá para apresentá-la. Isso o forçará a identificar e selecionar apenas os pontos mais relevantes do seu discurso.

5. REGISTRO E AVALIAÇÃO

Como última etapa do treinamento, grave sua apresentação em áudio ou vídeo e depois ouça-a ou assista-a para avaliar sua performance. Esse olhar crítico pode ser feito por você mesmo ou por terceiros (em gravação ou ao vivo). Só evite realizar essa etapa na última hora – é preferível fazê-la com alguma antecedência, de modo que haja tempo para praticar alterações necessárias.

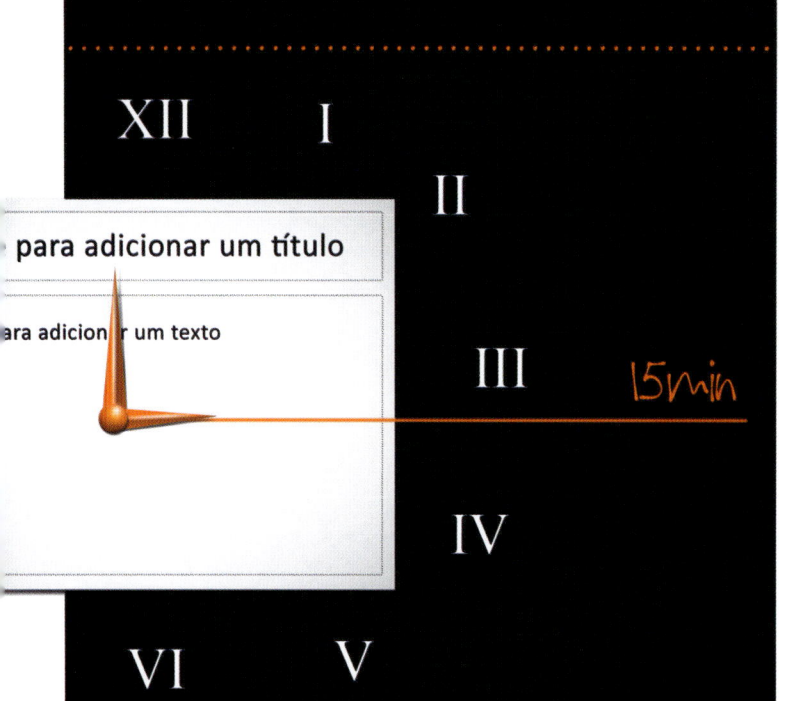

OLHO NO RELÓGIO!

Aproveite os treinamentos relativos ao conteúdo para medir o tempo total de sua apresentação. Se não estiver dentro do previsto, reveja o roteiro (sem se esquecer de considerar tempo para perguntas e respostas, eventuais atividades e intervalos). Ainda pensando em cuidados relativos ao tempo, identifique slides que marcam o meio da apresentação e os que indicam que faltam 10 ou 15 minutos para o encerramento. Alguns apresentadores, na ocasião do evento, levam no bolso um alarme programado para vibrar em aviso dos 10 ou 15 minutos finais.

Ainda pensando no *timing* da apresentação, chegue a seus eventos com antecedência, evitando atrasos por imprevistos. Depois de se instalar e testar o equipamento, deixe de lado suas anotações e estabeleça algum contato com a audiência para a qual se apresentará. Em rápidas trocas, você consegue saber um pouco sobre quem irá assisti-lo. Falando sobre o tema a ser abordado ou sobre assuntos corriqueiros, foque a conversa na audiência e conheça melhor seu perfil e seus interesses. De quebra, isso cria um canal de comunicação com alguns dos participantes, que deixará você mais seguro ao se dirigir a esse público.

Especialmente em eventos grandes, comece pontualmente ou com no máximo alguns minutos de atraso. Mesmo que alguns participantes ainda estejam chegando, não é adequado prejudicar os pontuais por causa dos atrasados.

Linguagem, voz e espontaneidade

A LINGUAGEM DE BATE-PAPO

Procure falar com a audiência como em uma conversa com amigos, no tom de um bate-papo informal. Evite jargões, clichês e abordagens negativas. Abaixo, confira algumas sugestões relativas a linguagem listadas por Carmen Taran no aplicativo Presenter Pro, feito pela empresa norte-americana de apresentações Rexi Media.

- Ao elaborar seu discurso, seja conciso, claro e simples. Em vez de dizer "Que indivíduo devo abordar a fim de conseguir uma informação apropriada?", simplesmente pergunte: "Com quem devo falar?" ou "Quem pode me ajudar?".
- Faça declarações positivas e em voz ativa. No lugar de "Nossa equipe de suporte precisa ser submetida a um incremento de pessoal e não estamos estagnados em relação a esse aspecto", diga: "Estamos incrementando a equipe de suporte".
- Não se apoie em jargões e termos técnicos para provar seu conhecimento. Além de soar pretensioso, isso pode comprometer o entendimento da audiência. Carmen sugere: "Use palavras e frases claras, simples e que criem uma conexão com os participantes em nível humano". Um bom caminho para simplificar essa linguagem é ler o roteiro com atenção e eliminar termos rebuscados ou muito técnicos.

UMA DOSE DE IMPROVISO

Mesmo tendo um roteiro bem montado, dê margem para improvisação em algum momento da apresentação. Prepare um pequeno repertório para possíveis acréscimos, dependendo do tempo disponível, de sua disposição e de seu *feeling* em relação à audiência. O improviso pode se basear em fatos cotidianos, em situações vividas por terceiros ou mesmo em sua experiência pessoal.

A VOZ QUE INSPIRA CONFIANÇA

A voz é uma importante ferramenta para inspirar e envolver a audiência. Para causar impacto, deve ser clara, natural e expressiva. Tomando como modelo um relato entusiasmado, é possível notar variações no volume da fala, na entonação e na ênfase em partes especialmente relevantes. Apresentadores devem demonstrar esse entusiasmo no discurso. Em seus treinamentos, Carmen Taran chama a atenção para alguns aspectos.

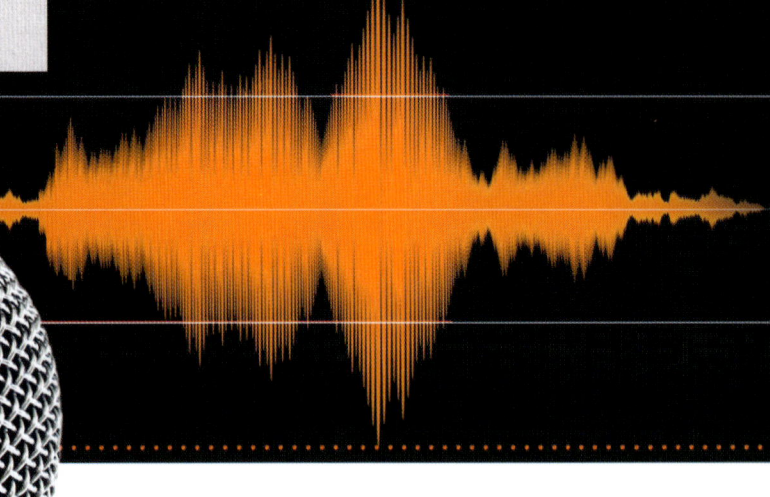

Entonação e melodia

Um discurso absolutamente regular, sem variações de tom e melodia, é capaz de entediar a audiência em minutos, por melhor que seja o conteúdo. Ao treinar uma apresentação, pense em trechos e palavras que merecem destaque e incremente sua fala dando ênfase a esses pontos. Faça isso de maneira natural – exageros soam como falsos e podem depor contra o apresentador.

Volume

Considerando que seu objetivo é ser ouvido e passar confiança à audiência, esqueça a discrição e fale com boa impostação de voz. Para chamar a atenção da audiência para determinados trechos do discurso, experimente variar o volume – tanto falas mais altas quanto mais baixas destacam-se em meio ao restante. Mesmo que as apresentações sejam feitas com microfone, não fale muito suavemente.

É preferível se distanciar um pouco do microfone e falar mais alto do que manter o microfone muito próximo à boca e falar como se estivesse em uma conversa corriqueira. Dificilmente um apresentador transmitirá paixão e entusiasmo falando baixo.

Clareza

Articule bem as palavras, garantindo clareza e entendimento por parte da audiência.

Ênfase

Em uma mesma sentença, a ênfase em uma ou outra palavra pode mudar o foco da mensagem. Observe: "<u>Eu</u> fui ao escritório daquele fornecedor", "Eu fui ao <u>escritório</u> daquele fornecedor", "Eu fui ao escritório <u>daquele</u> fornecedor", "Eu fui ao escritório daquele <u>fornecedor</u>".

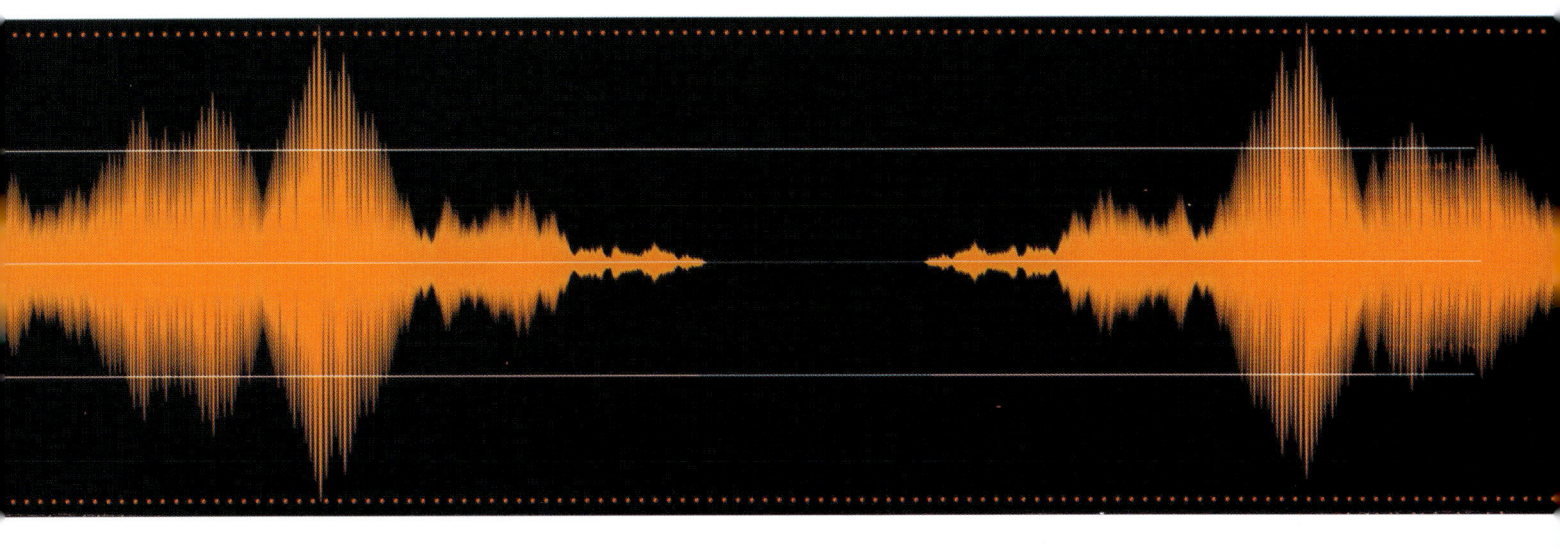

Pausas

Carmen Taran observa que são raros os apresentadores que fazem uso das pausas. Segundo ela, as pausas colocadas em locais adequados são capazes de tornar excelente uma boa apresentação. São várias as situações em que as pausas podem ser usadas: para permitir que os ouvintes absorvam algo que acabou de ser dito, para gerar expectativa em relação a algo que será dito, para permitir que o apresentador pense no que falará em seguida, para que ele respire corretamente ou para que ganhe tempo para pensar antes de responder a determinada questão.

Velocidade do discurso

Se as pessoas não costumam comentar sobre a rapidez nem sobre a demora de sua fala, faça seu discurso em velocidade normal. Mas se você, com frequência, ouve comentários sobre a velocidade de sua fala, treine um discurso mais rápido ou mais lento, procurando chegar a um ritmo normal – a fala muito rápida pode dificultar o entendimento e gerar ansiedade na audiência, ao passo que a muito lenta pode cansar as pessoas. Em breves trechos, vale dizer, a fala pode ser levemente pausada para chamar a atenção para determinado conceito.

O tom do discurso

É preciso haver coerência entre o tom do apresentador e o conteúdo a ser transmitido. Ninguém consegue revelar indignação falando suavemente, nem é possível demonstrar controle de uma situação em tom desesperador. Certifique-se de ter incorporado o conteúdo da apresentação, veja se está coerente com o que você acredita e, assim, dê o devido tom ao seu discurso.

Cuide de sua voz

Não é possível garantir que sua voz esteja excelente no dia de uma apresentação, mas existem alguns cuidados que aumentam essas chances. Tenha o costume de beber bastante água – faça isso especialmente na semana de sua apresentação (mas não exagere antes do evento). A partir de três dias antes do evento, evite maltratar a voz com cigarro, festas e noites maldormidas; na medida do possível, descanse bem o corpo e a voz. Por fim, diante de plateias grandes, ou se perceber sua voz fragilizada, use um microfone.

A PAIXÃO PELO ASSUNTO

Um dos ingredientes capazes de potencializar a voz de qualquer pessoa é a paixão por um assunto. Aqui aparecem questões importantes: Você está satisfeito com sua apresentação? Acredita no que ela revela?

No aplicativo Presenter Pro, Carmen Taran dá destaque a esse tema: "Apresentadores excepcionais têm paixão, entusiasmo e convicção. A maneira como você se sente em relação ao que apresenta é tão importante quanto aquilo que você apresenta".

Antes de pensar em trabalhar a voz em seus treinamentos, avalie sua apresentação e identifique o que realmente o encanta no conteúdo, no tema ou na abordagem. Pode até ser a ideia de se expor diante de uma audiência – o importante é que algo, naquele contexto, desperte seu entusiasmo.

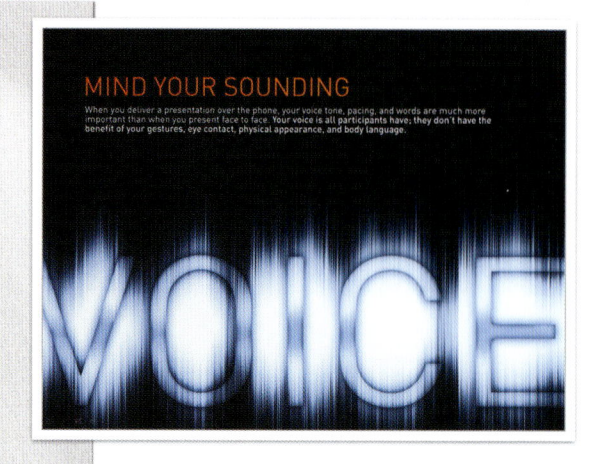

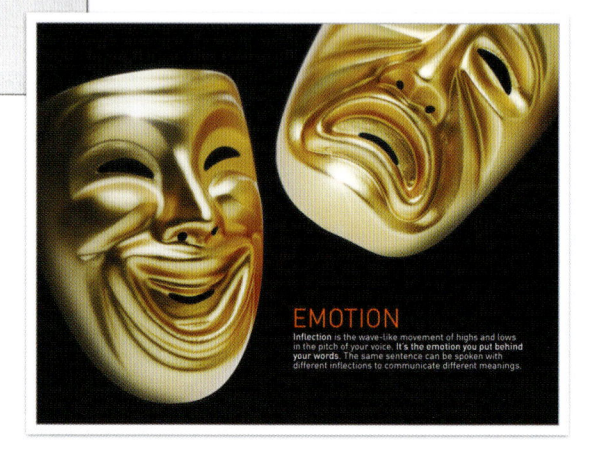

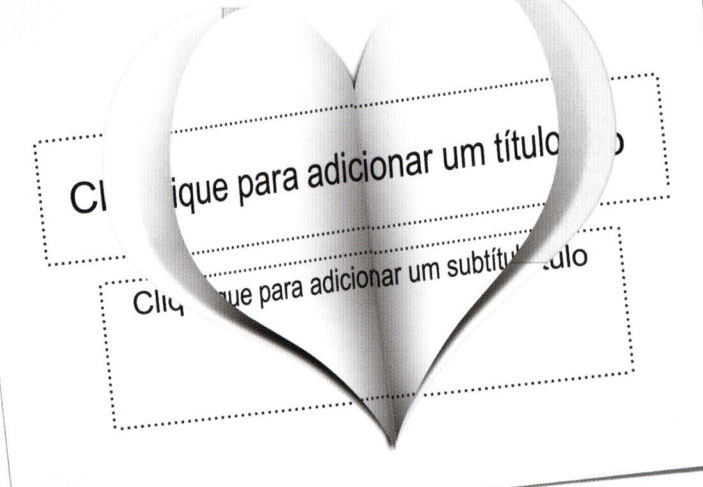

A ESPONTANEIDADE COMO ALIADA

Formal, sério, tímido ou descontraído, qualquer apresentador pode ter uma ótima performance. Para isso, alguns cuidados são necessários. Primeiramente, a pessoa que fala precisa ser espontânea e conseguir falar em público como se estivesse conversando com amigos, se possível sem dar o mínimo sinal de que se submeteu a treinamentos ou de que está sendo guiada por um roteiro.

Sentir-se confortável com o conteúdo da apresentação ajuda muito – e isso é facilmente alcançado se o material estiver adequado ao seu estilo, seja ele qual for. Uma multinacional conservadora pode ser representada por uma apresentação descontraída e informal, contanto que seja conduzida por um executivo que tenha tais características. Um apresentador ousado sustenta uma metáfora ousada. Já para um conservador, é preferível usar uma linguagem mais literal – a não ser que ele esteja disposto a lidar com a metáfora e a treinar tanto quanto necessário para incorporá-la.

Outro ingrediente importante para a espontaneidade é o domínio da estrutura da apresentação e da sequência de temas e assuntos. Carmen Taran sugere que se evite a memorização palavra por palavra, exceto no caso do início e do fechamento da apresentação, quando termos cuidadosamente escolhidos podem gerar um impacto diferenciado na audiência. Fora isso, o apresentador deve conhecer bem o assunto sobre o qual irá falar. Quanto mais leitura, pesquisa e informação ele tiver sobre o tema, melhor. Por fim, ele precisa ter clareza em relação às ideias e às mensagens que irá passar.

Além da espontaneidade, Carmen destaca a importância da autenticidade. Jamais se deve simular um entusiasmo inexistente. É importante preservar seu modo de ser durante qualquer performance, sem tentar se equiparar a outros modelos de apresentadores. Para estimular essa autenticidade, uma boa estratégia é citar vivências pessoais em algum momento do evento. Colocando um pouco de si no discurso, a atuação tende a ficar mais expressiva, mais verdadeira e mais relevante para a pessoa. De quebra, experiências do apresentador – se forem interessantes e coerentes com o tema – agradam às pessoas da audiência, estreitam seu elo com elas e ainda despertam empatia em relação à sua figura.

O OLHAR NA AUDIÊNCIA

Por mais que a interação do apresentador com os slides seja importante, é fundamental ter em mente que em qualquer evento as imagens são coadjuvantes. Enquanto realiza uma palestra, uma pessoa jamais deve se fixar na tela – seu foco e olhar devem estar sempre direcionados à audiência.

O contato visual passa credibilidade, envolve as pessoas, conquista-as e leva-as à ação. No aplicativo Presenter Pro, Carmen Taran detalha que, se o grupo for pequeno, o apresentador deve olhar nos olhos de todos os presentes; já em grupos maiores, é interessante variar o olhar entre pessoas situadas em diferentes locais do auditório. Durante pelo menos 90% do tempo, o olhar do apresentador deve estar na audiência – slides, computador e anotações pessoais devem receber o mínimo de atenção possível.

"Mova os olhos lentamente pelo ambiente e fixe o olhar em alguém por alguns segundos, para depois movê-lo em direção a outra pessoa. Em vez de pensar que está falando para um grupo, imagine-se tendo várias miniconversas com diferentes indivíduos", sugere Carmen. Segundo garante, um bom contato visual é capaz de transformar a atmosfera de um ambiente. Esse contato faz os ouvintes se sentirem inclusos na comunicação e isso os torna mais atentos e participativos. Além de cativar a audiência, o contato visual – especialmente quando feito com pessoas receptivas – ainda dá mais confiança ao apresentador.

Sessão de perguntas e respostas

Se você tem domínio do assunto que está tratando e se sente seguro, é interessante reservar os minutos finais da apresentação para perguntas e respostas da audiência. Em uma sessão desse tipo, é possível esclarecer eventuais dúvidas e se aprofundar em alguns pontos relativos ao seu tema, caso a audiência o solicite. Trata-se de uma boa oportunidade para interagir com o público e conhecer melhor suas preocupações, dúvidas e interesses.

Confira algumas dicas para conduzir bem essas sessões:

ANUNCIE A SESSÃO: se tiver certeza de que haverá tempo para perguntas e respostas ao término da apresentação, avise o público logo no início. Desse modo, você evita interrupções e ainda incentiva os ouvintes a anotarem eventuais dúvidas para esclarecimentos finais.

DESTAQUE AS PERGUNTAS: ao conduzir sessões de perguntas em auditórios grandes, certifique-se de que há microfone para a audiência fazer as questões. Se não houver, repita as perguntas no seu microfone antes de respondê-las.

NÃO SE PROLONGUE NAS RESPOSTAS: procure se ater ao que foi questionado e dê respostas concisas, especialmente se houver muita gente aguardando para fazer outras perguntas. Se você começar a divagar nas respostas, pode aborrecer a audiência e comprometer uma boa impressão conquistada ao longo da apresentação.

ATUE COMO MEDIADOR: além de responder às questões da audiência, você fará nesse momento papel de mediador. Se alguém insistir em determinado ponto, se repetir a mesma questão ou se desviar muito do tema principal, educadamente saia do assunto. Explique que há outras pessoas interessadas em tirar dúvidas e que você pode resolver por e-mail questões muito específicas.

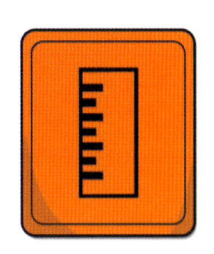

LIDE BEM COM PERGUNTAS DIFÍCEIS: caso não compreenda uma pergunta, peça à pessoa que a reformule. Se não souber respondê-la, reconheça isso diante da audiência – a atitude, tenha certeza, irá depor a seu favor. Se achar a pergunta pertinente, você pode lançá-la de volta à plateia ou comprometer-se a se informar sobre a questão e responder posteriormente por e-mail.

ENCERRE A SESSÃO NO HORÁRIO: se houver muitas pessoas querendo fazer perguntas e seu tempo estiver terminando, anuncie que você responderá a apenas mais uma ou duas questões. Embora nem sempre isso seja possível, o ideal é encerrar a sessão com uma resposta que reforce sua mensagem principal.

ACESSÓRIOS A SEU FAVOR

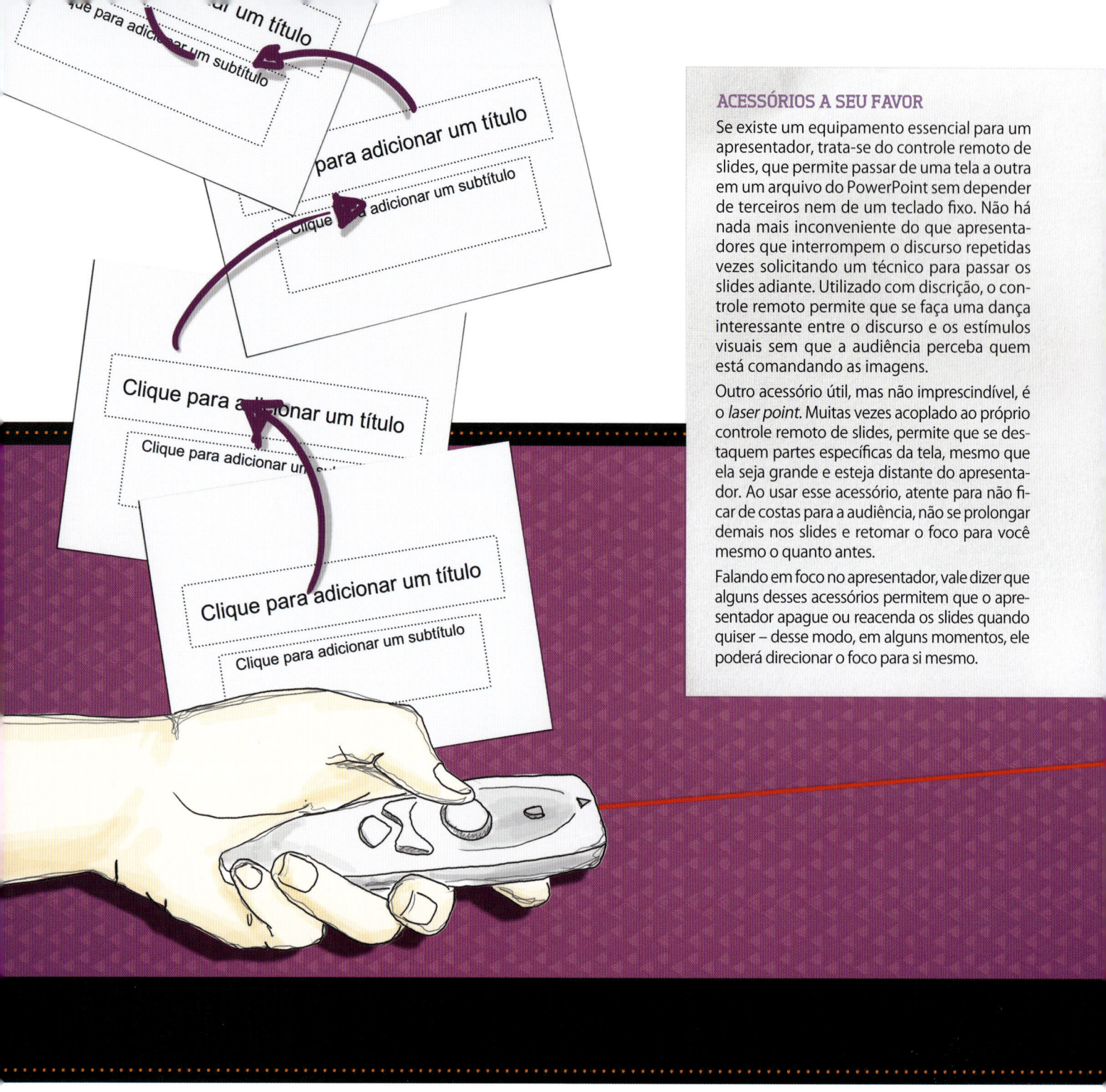

Se existe um equipamento essencial para um apresentador, trata-se do controle remoto de slides, que permite passar de uma tela a outra em um arquivo do PowerPoint sem depender de terceiros nem de um teclado fixo. Não há nada mais inconveniente do que apresentadores que interrompem o discurso repetidas vezes solicitando um técnico para passar os slides adiante. Utilizado com discrição, o controle remoto permite que se faça uma dança interessante entre o discurso e os estímulos visuais sem que a audiência perceba quem está comandando as imagens.

Outro acessório útil, mas não imprescindível, é o *laser point*. Muitas vezes acoplado ao próprio controle remoto de slides, permite que se destaquem partes específicas da tela, mesmo que ela seja grande e esteja distante do apresentador. Ao usar esse acessório, atente para não ficar de costas para a audiência, não se prolongar demais nos slides e retomar o foco para você mesmo o quanto antes.

Falando em foco no apresentador, vale dizer que alguns desses acessórios permitem que o apresentador apague ou reacenda os slides quando quiser – desse modo, em alguns momentos, ele poderá direcionar o foco para si mesmo.

APRESENTE-SE A QUALQUER HORA E EM QUALQUER LUGAR

Em uma sala de embarque de um aeroporto, você encontra o cliente dos seus sonhos. Seu voo está atrasado e o dele também. Vocês já se conhecem de eventos do setor e sentam-se lado a lado. Parece uma oportunidade?

Se você tem uma apresentação integral, para a qual está bem preparado, não há por que não treinar também uma "versão elevador" dessa apresentação. Como o nome sugere, a "versão elevador" é resumida, capaz de ser transmitida em aproximadamente 10% do tempo da versão integral. Para oportunidades-relâmpago que eventualmente surjam em seu caminho, vale a pena treiná-la. Nunca se sabe quem estará ao seu lado quando o aeroporto estiver sem teto! Além de poder gerar bons negócios, essa versão ajuda o apresentador a identificar pontos fortes e relevantes de uma apresentação e a ter ainda mais domínio do roteiro como um todo.

Assim como a "versão elevador", o apoio visual inserido em um aparelho portátil (como Smartphone e iPad) também é capaz de ajudá-lo em diversas oportunidades. Com slides em versão integral ou resumida, é possível fazer apresentações em mesas de restaurante ou salas de espera. Quando autoexplicativas, essas apresentações podem ser enviadas ao aparelho portátil de terceiros, possibilitando a navegação conforme a disponibilidade de cada um. Se o aparelho portátil for um iPad, é possível inclusive fazer a apresentação completa para uma ou duas pessoas.

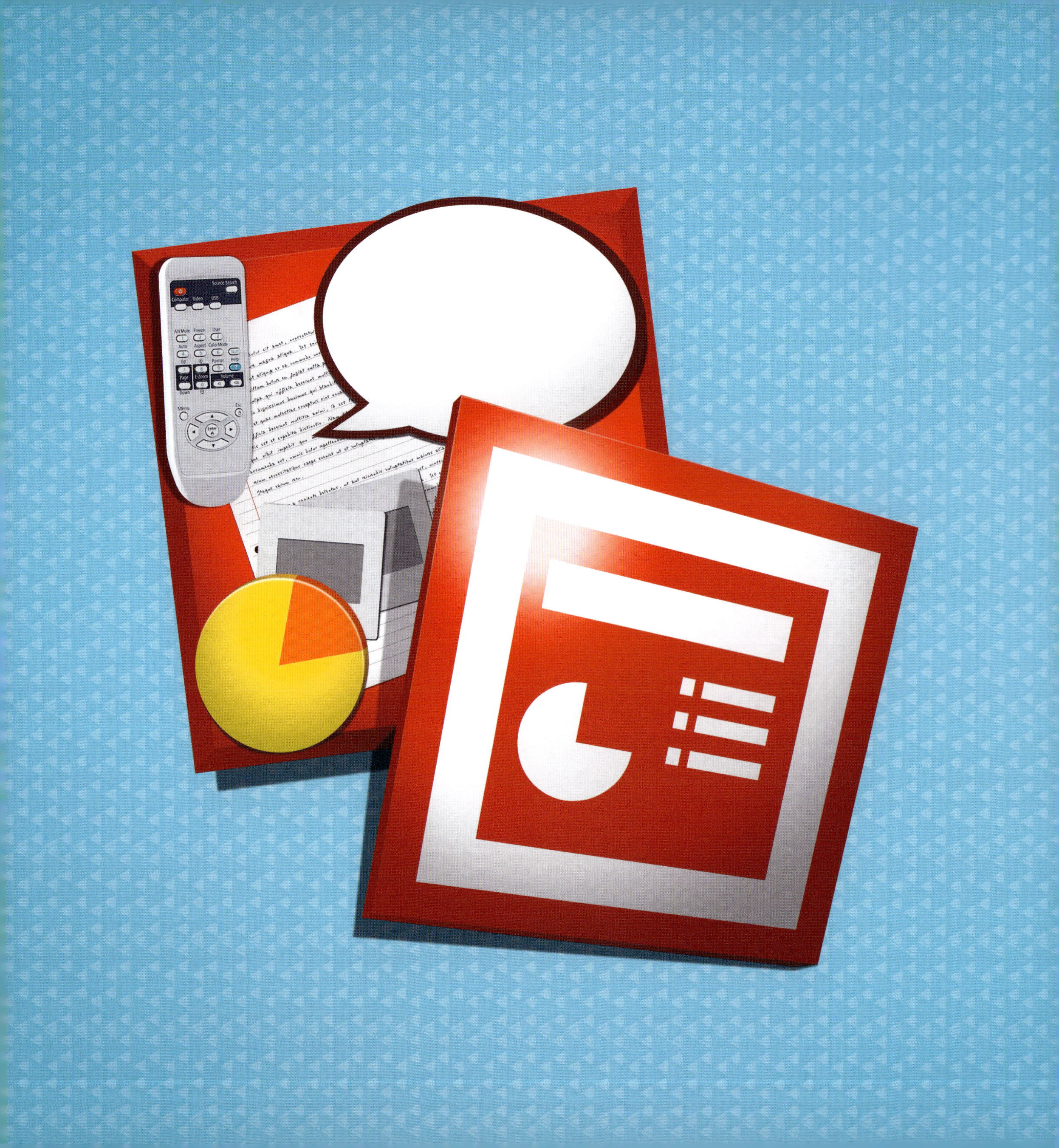

CAP. 5 - O POWERPOINT E OUTRAS FERRAMENTAS DE APOIO

"O genial do PowerPoint é que ele foi desenvolvido para ser utilizado por qualquer idiota. Aprendi a operá-lo em algumas horas."

David Byrne, antigo líder do Talking Heads

PowerPoint: Vilão ou herói?

Os números impressionam. Há quem diga que no mundo já existem mais de 300 milhões de usuários de PowerPoint. A difusão é impressionante, assim como os sentimentos despertados pelo programa. Enquanto muitos o idolatram, alguns dedicam horas de estudo e articulação de críticas contra ele. Experimente, por exemplo, fazer uma busca no Google com os dizeres "Eu odeio o PowerPoint". Em meados de 2010, uma busca dessas, usando apenas as aspas iniciais, gerava 17,5 mil resultados. Isso em português! O fato é que o programa da Microsoft, tão difundido em apresentações corporativas quanto no ambiente particular, conquista fãs e inimigos com a mesma intensidade. Arranca elogios e desperta repulsa.

Para os que odeiam o PowerPoint, os argumentos são vários – a começar pelo incômodo de encontrar diariamente nas Caixas de Entrada dezenas de e-mails com anexos em extensão pps, geralmente enviados por parentes desocupados. No ambiente profissional, por sua vez, o desgosto vem das tantas horas desperdiçadas em auditórios e salas de reuniões, diante de apresentadores mergulhados em infindáveis sequências de slides, repletas de gráficos e desconexos bullet points. Nada de traumas gratuitos.

Deixando de lado os desocupados e falando especialmente do ambiente corporativo, vale questionar: por que tantas apresentações são consideradas um tormento? Por que se revelam tão longas e monótonas? O que tem sido feito no meio corporativo para o PowerPoint ser tão malvisto? Como surgiram essas apresentações tão malfaladas? Será que o PowerPoint é o vilão deste drama?

Neste capítulo, em um breve histórico da evolução das apresentações, você entenderá como surgiram as apresentações chatas. Poderá, também, identificar alguns elementos que as caracterizam e adquirir clareza em relação ao que não fazer ao elaborar uma apresentação. E, no final, o mais importante: julgar se o PowerPoint é ou não o vilão desta história!

ALÔ, ALÔ, POWERPOINT, CÂMBIO! FOI VOCÊ QUEM DESINTEGROU UM ÔNIBUS ESPACIAL?

Fevereiro de 2003. Ao redor do mundo, todos os meios de comunicação transmitiam uma informação vinda da Nasa: o ônibus espacial Columbia havia se desintegrado enquanto entrava na atmosfera terrestre, retornando de sua missão espacial. Os sete astronautas a bordo morreram no ato – exatos 16 minutos antes do horário previsto para a aterrissagem.

Em menos de um ano divulgava-se o diagnóstico da tragédia: problemas de comunicação. Mais especificamente, o mau uso do PowerPoint teria desencadeado o tão falado acidente. A Nasa teria confiado demais em um relatório feito nesse programa de forma superficial, simplista e confusa, no qual se falava na prevenção de danos ao ônibus espacial. Importantes detalhes relativos ao voo de volta teriam sido omitidos em tal relatório.

A informação causou rebuliço e despertou ferrenhos opositores do PowerPoint. Um deles foi Edward Tufte, professor de Ciência Política, Ciência da Computação, Estatística e Design Gráfico na Universidade de Yale. Demonstrando sua indignação, ele proferiu duras críticas ao programa em vários escritos, como o artigo "PowerPoint is Evil" (publicado em 2003 na revista *Wired*) e o ensaio "The cognitive style of PowerPoint", no qual detalha como o programa contribuiu com o desastre do Columbia.

Sem medir esforços para expressar suas críticas, Tufte acusa o PowerPoint de privilegiar a forma em relação ao conteúdo. Para ele o programa ajuda, sim, os apresentadores, mesmo que para isso seja necessário penalizar a audiência e o conteúdo.

Em abril de 2010, sete anos depois desse evento, duras críticas ao programa continuam sendo feitas. O *The New York Times* publicou uma reportagem de página inteira intitulada "Conhecemos o inimigo e ele é o PowerPoint". Dessa vez a crítica foi voltada ao uso intenso do programa – e de forma geralmente incompreensível – entre militares norte-americanos. Alguns afirmaram passar mais horas diárias no PowerPoint do que em qualquer outra atividade profissional.

Aqui ficam algumas perguntas: será que, à semelhança do que aconteceu com o computador HAL no filme *2001: Uma odisseia no espaço*, o PowerPoint adquiriu vida e se voltou contra seu dono? Será que a culpa da queda do ônibus espacial pode ter sido de engenheiros que mantiveram um problema técnico em um último bullet point de um slide tomado de textos? Será que os militares que se debruçam na confecção de incontáveis apresentações são grandes vítimas? O que tem enroscado essas tramas: o PowerPoint ou as pessoas que estão por trás dele?

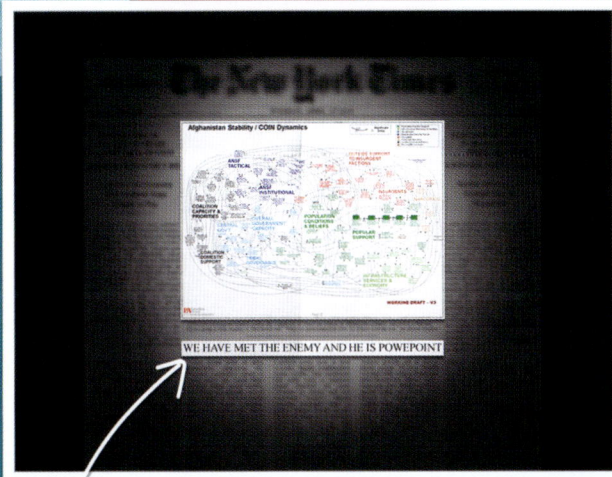

WE HAVE MET THE ENEMY AND HE IS POWERPOINT

A evolução das apresentações ou "A origem das apresentações chatas"

EM VOLTA DA FOGUEIRA

Desde o início dos tempos, de uma forma ou de outra, o ser humano sempre fez suas apresentações. Contando histórias ao redor de uma fogueira, os mais velhos transmitiam valores, passavam conhecimentos, ensinavam aos mais novos o que haviam aprendido com os ancestrais. Fora das tribos, do mesmo modo, histórias, diálogos e apresentações de diversos tipos sustentavam o entretenimento, a construção de novos laços e a concretização de todo tipo de negócios.

A LINGUAGEM VISUAL

Se houve um tempo em que os indivíduos compartilhavam seus relatos em torno de fogueiras, também chegou um momento em que exploradores se reuniam em meio a anotações para discutir descobertas de terras distantes. Nesse cenário, desenhos e pinturas incrementavam relatos, conferindo-lhes mais veracidade e emoção. Eram apresentações que já aconteciam formal ou informalmente. E as referências visuais, fossem elas mais ou menos elaboradas, serviam de suporte ao discurso.

A FOTOGRAFIA

No século XIX, com o surgimento da fotografia, a precisão do suporte visual alcançou seu auge. Quando bem utilizadas, as fotos eram capazes de incrementar qualquer relato, revelando em segundos o que longas descrições nem sempre conseguiam expressar.

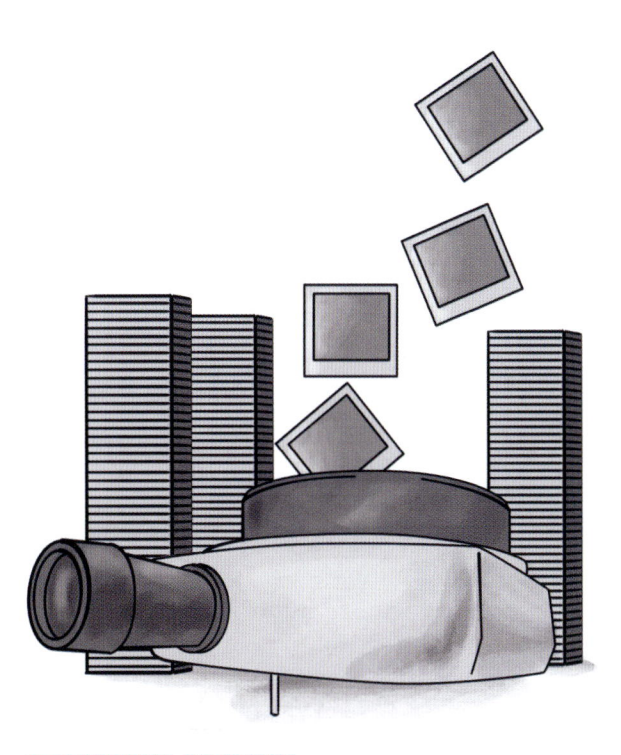

O RETROPROJETOR DE TRANSPARÊNCIAS

No final da década de 1970 surgiu o retroprojetor de transparências. Com design um tanto desengonçado, o aparato se mostrou mais acessível e mais moderno que o carrossel de slides. A moda pegou e suas particularidades, lamentavelmente, mudaram por completo a forma de as pessoas se comunicarem. Esse sim tem culpa no cartório!

Como as transparências eram feitas à mão, os apresentadores, nem sempre habilidosos, logo desistiram das imagens e começaram a recorrer a textos para ilustrar as apresentações. Para não se perderem entre as tantas informações que registravam nas transparências, começaram a se afastar das histórias e a itemizar o conteúdo, dispondo-o em tópicos e dando origem aos famosos bullet points (também chamados de marcadores). Como se isso não bastasse, para piorar ainda mais a situação, os apresentadores começaram a adquirir o infeliz hábito de ler para a audiência o extenso conteúdo que acompanhava as sequências de bullet points.

O retroprojetor originou maus hábitos e paradigmas, um modelo questionável de apresentações. No ambiente corporativo, as pessoas desaprenderam contar histórias. Pilhas de transparências repletas de texto começaram a servir de base para os apresentadores e muitos deles — dispensáveis? — tornaram-se leitores de transparências. Iniciou-se um período de desrespeito à audiência.

O CARROSSEL DE SLIDES

No final da década de 1960 foi a vez de o carrossel de slides surgir e difundir ainda mais essa linguagem: o aparato permitia que películas de 35 milímetros fossem projetadas em grandes paredes e, nessa mesma proporção, aumentava a eficiência da comunicação dirigida a grandes grupos.

Logo o carrossel de slides ganhou espaço nas escolas, nas universidades e especialmente nas empresas. Oferecendo um suporte essencialmente fotográfico, esses slides mantiveram o texto no discurso do apresentador, preservando os relatos no formato de histórias. No ambiente corporativo, as histórias contadas passavam a ser chamadas de apresentações, ao mesmo tempo que várias regras, paradigmas e linguagens próprias do meio iam sendo estabelecidas. A dinâmica dessa comunicação seguia fluindo bem, exceto pelo alto preço dos slides, que acabava limitando seu uso.

NASCE O POWERPOINT: A NOVA FERRAMENTA ASSISTE A VELHOS PARADIGMAS

No final dos anos 1980, a Microsoft abraçava o desafio de colocar computadores em todas as salas, de todas as empresas, de todos os países, para tantos usuários quantos fosse possível. Para garantir essa entrada, investia em programas que tornassem essas máquinas de fato necessárias. Foi nesse contexto que o PowerPoint apareceu. Desenvolvido para ajudar usuários de computadores na realização de todo tipo de apresentações, o programa inserido no mercado pela Microsoft conciliava as possibilidades oferecidas pelos velhos slides, pelas transparências e por qualquer outro suporte até então conhecido.

Seu propósito era claro: ajudar as pessoas a alavancar seus potenciais, melhorando a comunicação dentro e fora das empresas. Não é à toa que o PowerPoint entrou com tudo na vida de estudantes, acadêmicos e executivos. Acessível e fácil de usar, a nova ferramenta abriu um sofisticado leque de recursos para a confecção de apresentações.

Incluir fotos, gráficos, tabelas, ícones, arquivos de áudio e vídeo foram algumas das possibilidades que se abriram por meio do PowerPoint para quem costumava fazer apresentações. A possibilidade de customização se tornou bastante ampla, os recursos disponíveis eram capazes de originar um eficiente apoio visual e o retroprojetor foi, enfim, aposentado. Ainda assim, o modelo de apresentação originado com os retroprojetores se manteve e os paradigmas da época do retroprojetor continuaram sendo praticados.

Em vez de recorrer a apresentações visualmente elaboradas, baseadas em histórias que poderiam ser ilustradas por fotos e imagens relevantes, os apresentadores não se desvencilharam dos grandes volumes de texto e dos bullet points. Na verdade, a possibilidade de organização fácil da informação aumentou ainda mais a quantidade de texto inserida nos slides. Com a evolução da tecnologia, veja só, a comunicação retrocedeu. O modelo mental do retroprojetor foi mantido, ou até mesmo reforçado, e os usuários de PowerPoint começaram a criar apresentações como se estivessem "aprimorando" e digitalizando o que até então praticavam nos retroprojetores.

Nesse contexto, a figura do contador de histórias, que já vinha se extinguindo havia um tempo, sumiu de vez – e a ferramenta dominou o autor. Os apresentadores foram ficando para trás, passaram a se esconder atrás dos slides. A ferramenta, criada para aprimorar a comunicação, tornou-se uma aliada da comodidade dos apresentadores. O PowerPoint passou a ser usado para que as pessoas não se perdessem em seus relatos, mesmo sem terem passado por longos ensaios. Diante de montanhas de textos distribuídos em tópicos, muitos se sentiram livres da necessidade de se preparar para enfrentar suas audiências.

Várias apresentações começaram a se limitar à simples leitura de slides, como se o PowerPoint fosse um teleprompter. O resultado não podia ser pior: a audiência passou a se dispersar e a se aborrecer diante da figura do apresentador e das tradicionais apresentações. Muitas ideias boas passaram a ser recebidas como ruins. As apresentações foram ficando mais e mais chatas e o PowerPoint começou a ser visto como vilão. Aí vem a pergunta: Será o PowerPoint o responsável pelas apresentações chatas? Será ele o vilão dessa história?

O VEREDICTO

Claro que o PowerPoint não é o vilão! Culpar o PowerPoint por uma apresentação chata seria o mesmo que culpar a televisão por uma programação ruim. O PowerPoint é apenas um meio, uma poderosa ferramenta de comunicação, capaz de registrar visualmente tudo o que o usuário desejar. Ele entrega o que se propõe, tem potencial para dar resultado; porém em muitas ocasiões ele é mal utilizado. O PowerPoint coloca o apresentador diante de slides limpos, como uma tela em branco diante de um artista. E para que acolha uma boa apresentação, precisa ser conduzido por usuários capazes de criá-las. Se há culpados pelas apresentações chatas, esses culpados são os idealizadores dessas apresentações. O PowerPoint está livre dessa. Aqui, nestas páginas, oficialmente, nós o absolvemos.

AND THE OSCAR GOES TO... A PRESENTATION!

A estatueta dizia tudo: condecorada como Melhor Documentário de 2007, a palestra de Al Gore, ex-vice-presidente dos Estados Unidos, havia impressionado os mais diversos públicos. "Uma verdade inconveniente", ou "An inconvenient truth" em seu título original, foi criada em 2006 para alertar o mundo sobre os assustadores efeitos do aquecimento global.

No papel de político e sem nenhum grande conhecimento científico, Al Gore se propôs a alertar as pessoas sobre o aquecimento global, chamando a atenção para as sérias catástrofes ambientais que se desenrolariam em curto prazo, caso algumas condutas não fossem modificadas. Era essa sua mensagem principal.

Para sustentá-la, Al Gore recheou sua apresentação com dados e evidências sempre bem articuladas. Levou à linguagem cotidiana o conteúdo de complexos gráficos. Mostrou fotos, trechos de filmes, projeções de catástrofes naturais e suas consequências sociais. Embora as informações não fossem novas, o raciocínio elaborado por ele, com a ajuda da especialista norte-americana em apresentações Nancy Duarte, gerou uma apresentação fora de série.

Antes de se tornar um documentário, a palestra foi ministrada por Al Gore por cerca de mil vezes. Uma narrativa impactante, marcante, capaz de transformar quem a assiste e que fez de Al Gore uma das maiores celebridades ambientais do mundo.

Para o especialista em apresentações Garr Reynolds, a apresentação de Al Gore reúne três elementos-chave: um assunto extremamente importante (e controverso), uma entrega envolvente por parte do apresentador e visuais atraentes, impressionantes e que dão um importante suporte à apresentação, potencializando a mensagem principal. "A apresentação de Al Gore é tão boa, tão atraente, que acabou dando origem a um filme. Um filme que é basicamente a apresentação de Al Gore acrescida de recursos multimídia", afirmou Reynolds.

Referindo-se especificamente à apresentação, o especialista destaca outros três aspectos que considera importantes.

- Al Gore apresenta-se completamente à vontade, como se estivesse em seu reino. O assunto é sério, ele é sério, e ainda assim é um prazer assisti-lo e ouvi-lo.
- A tecnologia é transparente para a audiência, como deveria ser. Para Reynolds, Al Gore está entre os poucos mais de cinquenta políticos que realmente usam slides sem aborrecer a audiência.
- Em seus slides, ele utiliza fotos de alta qualidade. O design é impactante e ao mesmo tempo complementar e subordinado a Al Gore e sua mensagem (mesmo considerando que o visual da apresentação é vital para seu sucesso).

Al Gore extraiu o máximo de uma apresentação. Gerou filas nos cinemas, virou notícia, influenciou leigos, acadêmicos, políticos e industriais. Sua apresentação ganhou o Oscar – e de quebra ajudou o mundo.

Além do PowerPoint

Quando o assunto é o material de apoio para uma apresentação, o PowerPoint é o que de imediato nos vem à mente. A maioria das apresentações tem os slides como suporte visual e isso não se dá à toa. O PowerPoint, de fato, constitui uma excelente ferramenta para a transmissão de conceitos, e um ótimo apoio visual.

Sem esquecer a importância do PowerPoint, é bom frisar que o conceito apresentação não precisa se restringir a ele. Considerando o apresentador como protagonista, uma apresentação pode fazer uso de várias outras ferramentas, como quadros para escrever ou desenhar, materiais impressos para complementar informações, arquivos de áudio, vídeos etc. A seguir, você confere alguns elementos capazes de gerar bons suportes à sua apresentação, seja no seu desenrolar ou após seu término.

Cap. 5 – O PowerPoint e outras ferramentas de apoio

DURANTE A APRESENTAÇÃO

Quadro branco

Um quadro branco para o apresentador escrever ou desenhar funciona em reuniões com poucas pessoas, em ambientes pequenos – caso contrário, a leitura das pessoas mais distantes pode ficar comprometida. Como as mensagens são escritas na hora, trata-se de um bom recurso para a construção de raciocínio conjunto. Os quadros brancos também permitem aos apresentadores improvisar e eventualmente expor dados e informações recém-passadas pela audiência.

Flip charts

Assim como os quadros brancos, os *flip charts* são próprios para reuniões feitas com poucas pessoas, em ambientes pequenos. Eles também dão margem à improvisação e à inserção de dados durante um evento. A vantagem em relação ao quadro branco é que, mesmo permitindo a improvisação, o *flip chart* também possibilita que, antecipadamente, o apresentador prepare as páginas que desejar.

Vídeos

Desde que sejam pertinentes ao contexto da apresentação, os vídeos são muito bem-vindos. No Capítulo 1, "Roteiro", citamos os vídeos quando discutimos o uso do humor. Considerando apresentadores mais sérios, lembramos que é possível arrancar risos da audiência usando um vídeo cômico. Os vídeos se prestam muito bem a esse papel de "inserir atmosferas" nas apresentações. Eles podem transmitir à audiência não apenas humor, mas também dramaticidade, desespero, euforia ou qualquer outra emoção que se queira passar.

Para o apresentador, vale citar, o vídeo representa uma pausa, muitas vezes agradável, para tomar um gole de água, respirar fundo e observar melhor a audiência.

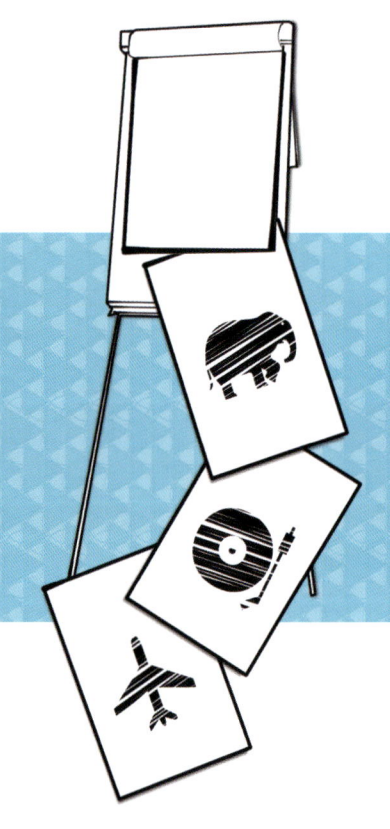

Arquivos de áudio

Considerando um apresentador diante de uma audiência, uma trilha sonora ou uma locução só se justificam se fizerem muito sentido no contexto. Você vai apresentar um áudio com o relato de uma personalidade? Um trecho de música relevante para passar uma emoção? Se julgar pertinente, insira o arquivo de áudio, mas nesse caso fique em silêncio e só retome o discurso ao término do som. Nada de expor a audiência a ruídos e confusões sonoras.

Ao final de uma apresentação, aí sim, as trilhas sonoras podem ajudar a passar emoções à audiência. Nesse caso, elas podem ter início ao final da apresentação, junto com a tela de fechamento.

Impressos

O único contexto que justifica a entrega de impressos no decorrer de uma apresentação é quando eles contêm orientações sobre exercícios e atividades a serem realizados durante o evento. A prática é comum em treinamentos e workshops. O ideal, nesses casos, é que os impressos sejam entregues imediatamente antes da realização da atividade. Em outros contextos, é preferível não entregar impressos enquanto uma apresentação estiver em andamento, já que a audiência pode folhear o material e se dispersar, perdendo o foco no discurso.

QUANDO OS SLIDES INVADEM AS PAREDES

Nascida na Inglaterra, Carolyn Taylor é uma das maiores especialistas do mundo em cultura organizacional. Seu método, chamado "Walking the Talk" e publicado em livro com este título, é reconhecido e respeitado internacionalmente por ajudar empresas a imprimir mudanças culturais internas.

Desde 2009 Carolyn vem realizando em empresas de vários países uma "consultoria cultural" baseada em treinamento de equipes. Em vez de se encarregar pessoalmente da consultoria das empresas que a contratam, a especialista promove treinamentos, por meio dos quais capacita os próprios profissionais da companhia contratante a gerir essa cultura.

Nos workshops que realiza, um dos grandes desafios de Carolyn é tornar a cultura organizacional mais tangível aos olhos das pessoas, já que tradicionalmente essa cultura é tida como algo intangível. Para alcançar esse feito, ela usa apoio visual de forma muito ativa. Os slides, sempre elaborados de maneira didática e objetiva, facilitam o aprendizado dos participantes. O modo como Carolyn os utiliza merece destaque.

Ela os exibe em uma tela e, na medida em que comenta alguns slides-chave, Carolyn fixa sua versão impressa na parede da sala de treinamento. Feito isso, toda vez que quer remeter seu discurso a conceitos já citados, ela se volta aos slides que os ilustram. Os alunos ficam imersos em meio às imagens, têm a possibilidade de rever os conceitos principais repetidas vezes e, com isso, têm maiores chances de reter as mensagens principais.

Para quem for aplicar o recurso em uma aula ou treinamento, atenção: em vez de imprimir os slides em suas versões originais, é interessante eliminar elementos que eventualmente sejam dispensáveis. Sem cor de fundo, logotipos e outros "ruídos", os slides impressos passam a conter o essencialmente necessário e suas mensagens principais ganham mais destaque.

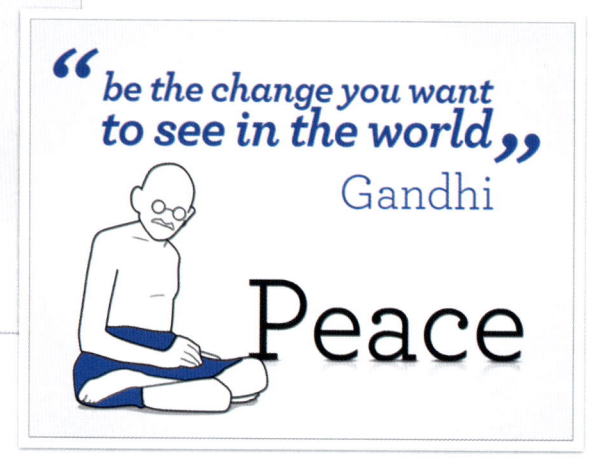

APÓS A APRESENTAÇÃO

Impressos

Depois das apresentações, finalmente os impressos podem ter importante função. Suponha que você julgue necessário detalhar determinados tópicos, mas não queira se prolongar demais durante a apresentação... Que tal deixar os conceitos mais importantes para a apresentação e reservar os detalhes para os impressos? Fazendo bom uso desse material de apoio, você consegue fazer uma apresentação mais concisa e focada em conceitos. A audiência agradece.

Além dos detalhamentos, você também pode entregar um resumo dos principais tópicos ao final da apresentação. Os impressos, nesse caso, ajudam a audiência a se lembrar da sua apresentação, da sua marca e especialmente das mensagens que você gostaria de transmitir. Considere-os como uma extensão da apresentação – e capriche em sua elaboração.

Arquivos digitais

Assim como os impressos, os arquivos digitais são um bom recurso para prover a audiência com informações mais aprofundadas ou resumos de sua apresentação. Quando falamos de entregas digitais, elas podem ser feitas de diversas maneiras:

- Para endereços eletrônicos previamente cadastrados.
- Em resposta a solicitações feitas por e-mail.
- Por visualização de arquivo no site de sua empresa.
- Por download de arquivo no site de sua empresa (com opção de solicitar cadastramento).
- Pela visualização do arquivo em ambiente virtual que não seja seu site (em sites como o SlideShare, por exemplo).

A troca de arquivos digitais tem a vantagem de permitir que se estenda o relacionamento com a audiência, especialmente se a entrega for feita por e-mail ou por visitas a seu site.

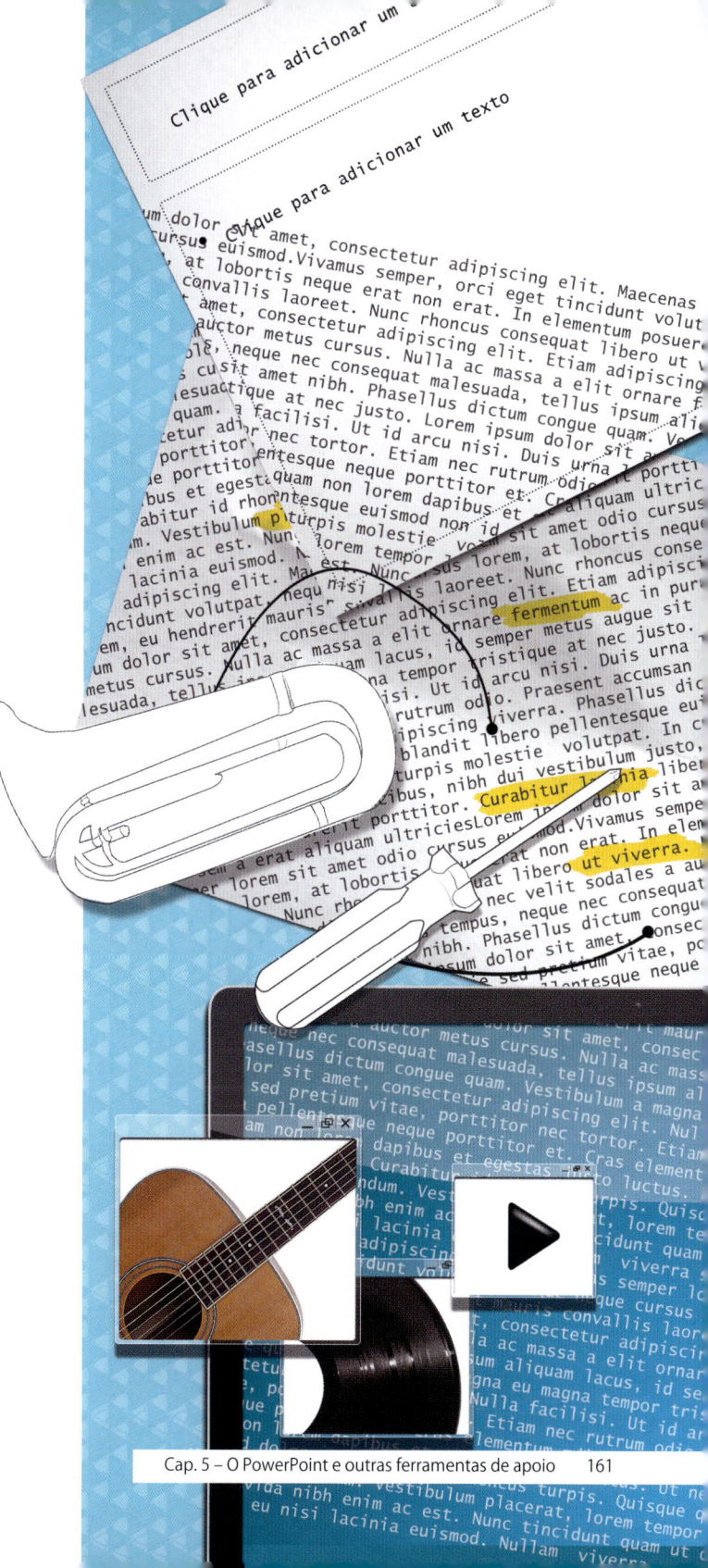

As novas alternativas de apresentação

Vimos, neste capítulo, que a evolução das ferramentas disponíveis ao longo da história vem imprimindo importantes mudanças na maneira de as pessoas se comunicarem. E, se falamos tanto do que aconteceu no passado, chegou a hora de nos referirmos ao presente e discutirmos um formato de apresentações ainda muito incipiente, presente apenas em algumas partes do globo e que vem sendo praticada graças às evoluções tecnológicas. Trata-se das apresentações virtuais.

Com o avanço das formas de comunicação, transmissões remotas de dados e de informações, são várias as ocasiões em que não se justifica mais atravessar cidades, países ou continentes para ficar frente a frente com uma pessoa. As novas possibilidades tecnológicas aliadas a agendas cheias, dificuldades de deslocamento e necessidades de redução de custo têm impulsionado esse novo modelo de apresentações.

O principal diferencial das apresentações virtuais é o de permitir um encontro mesmo diante da distância física entre apresentador e audiência. A apresentação pode ser de uma matriz americana para uma filial belga – ou pode ocorrer entre uma prestadora de serviços da zona norte paulistana e um cliente da zona sul: independentemente das distâncias, a opção permite que apenas o tempo da apresentação em si, e nem 1 minuto a mais, seja dedicado ao encontro. Em vez de apresentador e audiência precisarem reunir-se fisicamente, a tecnologia os une em tempo real, cada parte em seu ninho, diante da tela de seu computador.

Até o momento, as apresentações virtuais dividem-se entre as feitas exclusivamente por computadores e as que integram computação e telefonia (com as melhorias tecnológicas, espera-se que a telefonia logo seja dispensada desse casamento). Sua dinâmica, bastante semelhante à das apresentações feitas pessoalmente, conta com um apresentador que, enquanto revela seu discurso, expõe um apoio visual na tela de cada um dos membros da audiência. Em alguns casos, a figura do apresentador é dispensada e a apresentação passa a ser caracterizada como autoexplicativa.

A tendência, que ainda engatinha no Brasil, já marca importante presença nos Estados Unidos. Se apenas 1% das apresentações feitas pela SOAP Brasil foram virtuais no primeiro semestre de 2010, esse percentual, no mesmo período, representou 50% das demandas atendidas pela SOAP US. Esses índices não são casuais. Nos Estados Unidos há importantes centros comerciais muito distantes entre si (de Nova York a Los Angeles, por exemplo, são 3,9 mil quilômetros!) e por isso as apresentações virtuais sempre foram uma necessidade. A adoção da prática teve de esperar a evolução tecnológica – nos últimos dois anos, finalmente, esse mercado cresceu muito. É a tecnologia, enfim, possibilitando que se atenda à antiga necessidade.

Para Rogerio Chequer, que lidera as operações da SOAP US, a prática das apresentações virtuais talvez ainda seja pouco difundida no Brasil por causa da proximidade entre muitos dos importantes centros comerciais. De todo modo, ele acredita que é uma questão de tempo para essa cultura ganhar espaço no meio corporativo. "As apresentações virtuais são um mundo novo. Elas estão se desenvolvendo nos Estados Unidos com muita rapidez, intensamente mesmo. Esse tipo de apresentação, que era pouco comum em 2008, hoje talvez já represente metade do que é feito no país. No Brasil, quando as apresentações virtuais começarem a acontecer, a tecnologia estará plenamente desenvolvida para usar esses recursos – por isso acredito que sua velocidade de disseminação no Brasil será ainda maior que a dos Estados Unidos."

Vislumbrando o presente ou o futuro, vale a pena conferir algumas peculiaridades das apresentações virtuais, sejam elas autoexplicativas ou conduzidas por um apresentador. Como veremos a seguir, esse canal diferenciado justifica condutas especiais no momento do preparo e da entrega da apresentação. É o modo de pensar apresentações que, como vimos anteriormente, deve acompanhar a evolução das ferramentas.

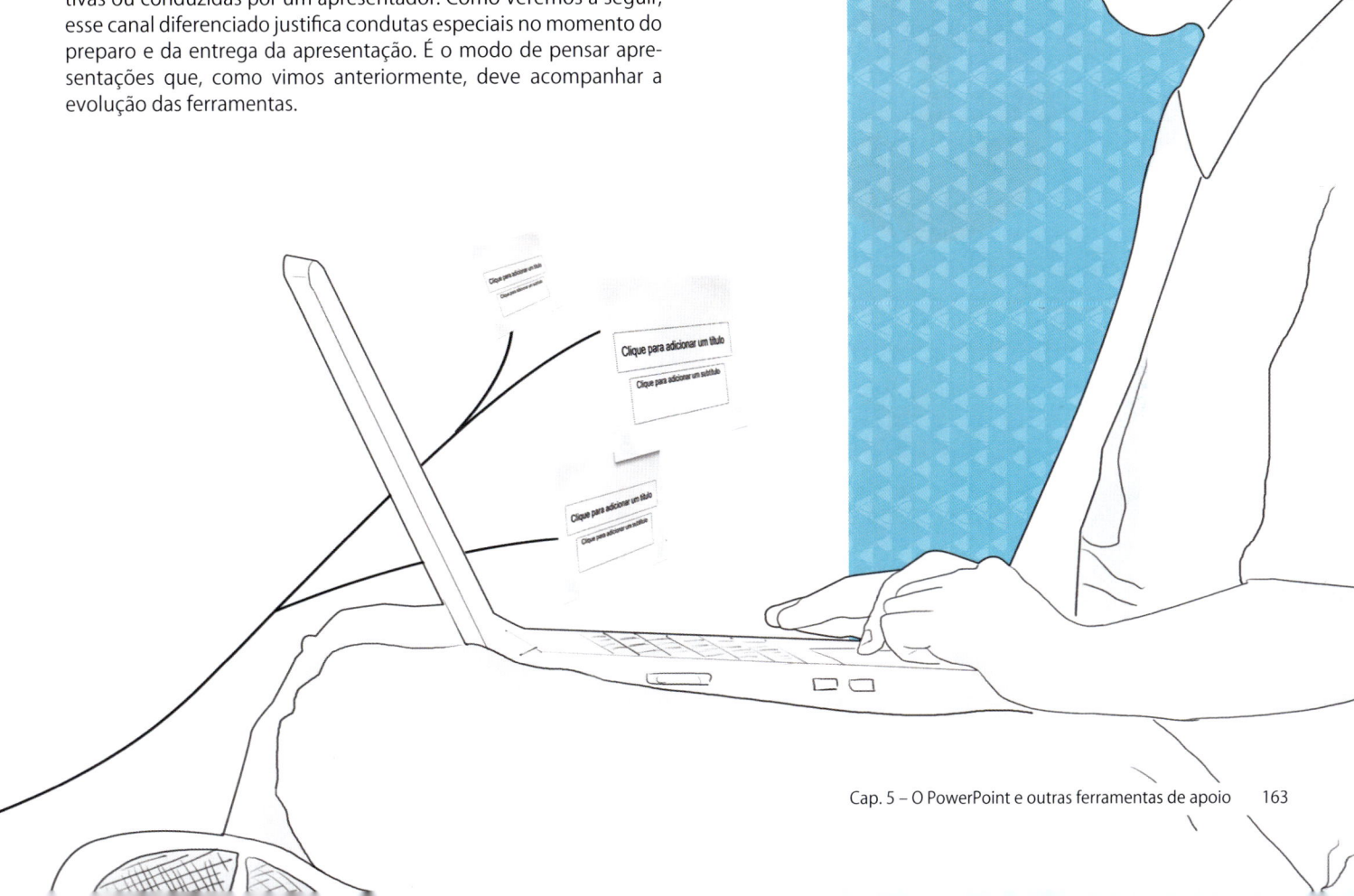

Como fazer uma boa apresentação virtual

Se você já conhece as várias premissas para fazer uma boa apresentação presencial, se está acostumado a elaborá-las e sente-se com pleno domínio dessa linguagem, fantástico: você já parte de um bom começo. De todo modo, por mais que uma pessoa se saia bem nas apresentações presenciais, as virtuais revelam alguns desafios muito particulares.

Uma das maiores especialistas do mundo em apresentações virtuais, Carmen Taran, da Rexi Media, garante que se um apresentador não conhecer as particularidades de entrega de sessões virtuais, o impacto do evento será bastante comprometido, por melhor que seja o conteúdo. "Pensar que a experiência nas apresentações presenciais garante o sucesso em apresentações virtuais é um erro, um pensamento falso, uma ilusão. Algumas novas habilidades e hábitos precisam ser adquiridos para gerar impacto virtualmente, incluindo recursos mais elaborados para entreter e manter a atenção da audiência", detalha Carmen.

Segundo alerta, como em uma sessão virtual a audiência não é vista por ninguém, as pessoas ficam em um contexto absolutamente propício para a realização de tarefas paralelas durante o evento, sem obstáculos nem constrangimentos. Uma pessoa pode atender ao celular, fazer um lanche ou pagar uma conta pelo site de seu banco. Em um caso extremo, deixa o ambiente ou fecha o browser enquanto o apresentador, sem saber, pode acabar falando sozinho. Essas atitudes dificilmente aconteceriam em um evento presencial, pela própria pressão social e expectativa de comportamento imposta pelo grupo.

Por essas e outras, o apresentador que se dispõe a falar em uma mídia cega precisa trabalhar duro para manter a atenção de quem está do outro lado da tela. Sem sequer contar com o feedback da troca de olhares e da linguagem corporal da audiência, ele precisa garantir a curiosidade, o envolvimento com a linha de raciocínio e o acompanhamento segundo a segundo por parte da audiência. Para realizar essa tarefa, enfim, deve lançar mão de algumas práticas nem sempre adotadas em eventos presenciais. Nas páginas a seguir, Carmen Taran, com base em pesquisas e experiências rotineiras referentes à confecção de apresentações virtuais, expõe uma série de macetes e habilidades próprias para a confecção e a entrega de apresentações desse tipo.

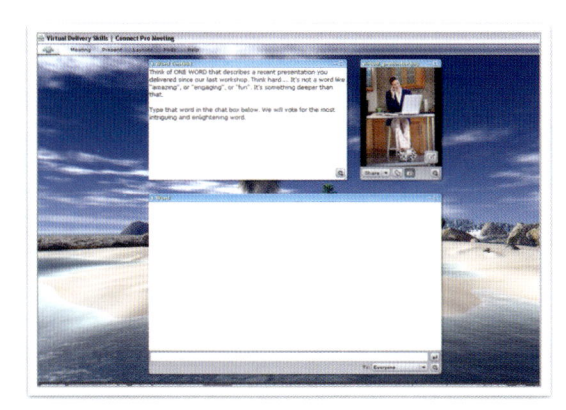

Os quatro slides deste tópico foram cedidos por Carmen Taran

1. Convide a audiência para participar da apresentação

Imprimir uma postura participativa na audiência é, nas palavras de Carmen Taran, a primeira e mais importante premissa de uma boa apresentação virtual. Para quem assiste a qualquer evento, a postura passiva é um verdadeiro convite à dispersão. Nas apresentações virtuais, essa questão ganha ainda mais destaque. Daí a importância de trazer a audiência para dentro do evento.

Existem aplicativos baseados na web que permitem incorporar elementos interativos em tempo real nas apresentações. Essa interação pode ser conseguida por meio de perguntas feitas pelo apresentador para serem respondidas por escrito em janelas de diálogo exibidas nas telas da audiência. Outro formato que funciona muito bem virtualmente são enquetes que oferecem à audiência algumas opções de respostas – mais uma vez, a escolha é feita na tela de cada um e a contagem das respostas é apresentada instantaneamente na tela do apresentador.

Também utilizando as caixas de diálogos, é possível fazer sessões de perguntas e respostas. Em eventos com caráter educativo, finalmente, podem ser promovidas atividades e exercícios avaliativos. Esses recursos conferem uma atitude participativa na audiência, reduzem as dispersões e devem ser utilizados sistematicamente ao longo de apresentações virtuais.

2. Ajuste a apresentação com base no feedback da audiência

Após convidar a audiência para participar de sua apresentação, aproveite os feedbacks obtidos para fazer eventuais escolhas relativas ao andamento do discurso. Ao ver a apresentação seguindo um rumo por ela apontado, a audiência se sente participativa e ainda reconhece a capacidade do apresentador de customizar o evento com base em seus dizeres e feedbacks.

São várias as maneiras de ajustar uma apresentação ao retorno dos ouvintes. Usando aplicativos próprios para esse fim, é possível mostrar na tela da audiência, por exemplo, dois ou três tópicos para que cada um aponte o que mais lhe interessa. Na medida em que os votos vão acontecendo, o aplicativo mostra a todos os participantes o percentual de votos dedicados a cada um dos temas. A votação é encerrada em alguns segundos e, então, o apresentador dá andamento ao evento, com ênfase ao tema mais votado. Esse desdobramento pode acontecer em um ou mais momentos da apresentação. Caso haja um percentual semelhante de votos em dois tópicos, pode-se aproveitar a oportunidade e convidar os participantes para uma futura apresentação focada no assunto que não será abordado dessa vez.

Outra forma interessante de ajuste – e com maior dose de improviso – consiste em o apresentador comentar dizeres postados pela audiência em caixas de diálogo, em resposta a uma questão colocada. Enquanto lê os dizeres, o apresentador comenta alguns deles e, de quebra, aproveita para captar a sintonia em que o público está. A dose de improviso neste caso é grande e depende dos comentários da audiência e do jogo de cintura do apresentador.

Vale chamar a atenção para as inúmeras possibilidades de captar feedbacks da audiência em apresentações virtuais. Embora o apresentador não acompanhe os olhares e gestos da audiência, ele pode dar a palavra para várias pessoas simultaneamente e fazer votações em tempo real com muito mais facilidade que em um evento presencial. Você já imaginou fazer uma enquete entre setecentas pessoas em apenas 40 segundos? Em uma sessão virtual isso é absolutamente viável, e é importante tirar proveito dessa possibilidade.

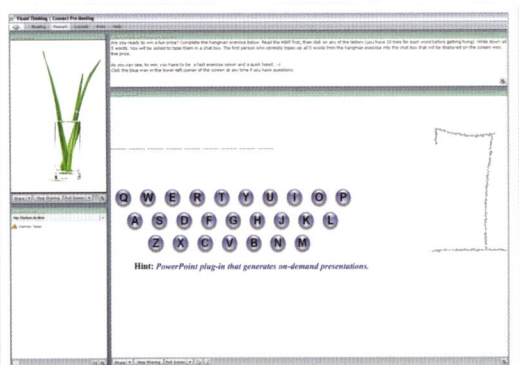

3. Confira dinamismo à apresentação, variando o formato das mensagens transmitidas

Nas apresentações conduzidas em salas de reuniões e auditórios, nem sempre o apresentador consegue proporcionar à audiência uma boa mescla de mídias. A baixa definição da imagem de um vídeo ou a ausência de uma boa caixa de som no local, por exemplo, nem sempre facilitam o uso de recursos audiovisuais. Já em uma sessão virtual é mais fácil disponibilizar arquivos de áudio e vídeo para a audiência, além de chats e outras formas de interação que acabamos de mencionar.

O cérebro humano é treinado para prestar atenção ao que se modifica; por isso, quanto maior variedade de recursos houver em suas apresentações, mais atenta a audiência ficará. Este conceito universal deve ser praticado de maneira agressiva em apresentações virtuais, onde é interessante mesclar sequências de slides a imagens do apresentador, arquivos de vídeo e de áudio, janelas com enquetes, caixas de diálogo para comentários e respostas etc. O ideal é variar o formato dessas mensagens a cada 5 ou 6 minutos.

O dinamismo de uma sequência bem montada gera imprevisibilidade e envolve a audiência. Uma pessoa exposta a sucessivas passagens interessantes e surpreendentes tem o desejo de permanecer com o foco na apresentação para acompanhar outras passagens que mereçam ser vistas. Por outro lado, quando as pessoas acreditam ser capazes de prever o que vem a seguir, elas ficam a um passo de realizar atividades paralelas. A impressão de que o evento é estático e de que nada importante será exposto nos minutos seguintes cria o cenário perfeito para uma fuga física ou mental de uma apresentação – assim como acontece com qualquer telespectador.

4. Faça bom uso da voz

Distante do apresentador, sem ver seus gestos, olhares e expressões, a audiência das sessões virtuais fica atenta à voz. Em um evento virtual, portanto, é preciso falar com clareza, de maneira melodiosa e com variações de tom coerentes com o discurso. Quanto maior variedade vocal for utilizada, mais condições o apresentador terá de envolver a audiência com suas mensagens.

Ao ouvir qualquer discurso, as pessoas intuitivamente avaliam: a pessoa que fala está segura? Acredita mesmo no que está dizendo? Tem paixão pelo tema? Normalmente, uma fala expressiva denota entusiasmo e gera na audiência interesse e boas expectativas em relação ao que está por vir. Já a fala monotônica revela desinteresse e reduz as expectativas dos ouvintes. Nesse caso, mesmo que esteja interessada no tema, a audiência precisa lutar para manter o foco – e, cedo ou tarde, muitos ouvintes acabam se desconcentrando, ainda que involuntariamente.

A voz bem trabalhada compensa a ausência da linguagem corporal e até mesmo a troca de olhares. No Capítulo 4, O apresentador, você pode conferir as orientações gerais referentes às habilidades vocais, que podem ser aplicadas também em apresentações virtuais.

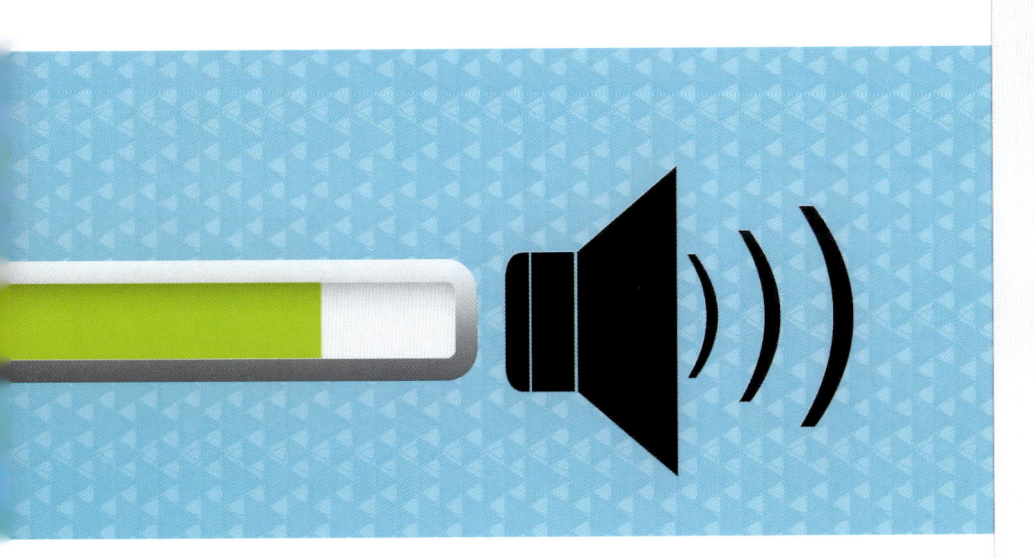

A FIGURA DO APRESENTADOR É MESMO NECESSÁRIA?

Uma empresa está cortando verbas e as viagens para prospecção de clientes serão canceladas. Daquele momento em diante, as prospecções serão todas feitas on-line. A dúvida dos executivos é se devem fazer apresentações virtuais com apresentadores disponíveis em tempo real ou versões autoexplicativas, aliando-as a envio de e-mails e fôlderes detalhando seus serviços. Será que os dois caminhos seriam igualmente eficientes?

"Quando você aparece pessoalmente diante de uma audiência (seja virtual ou presencialmente), a possibilidade de motivá-la é muito maior", afirma Carmen Taran. Ela garante que uma pessoa diante de uma tela, ou mesmo em uma linha telefônica, tem muito mais poder motivador do que um apanhado de papéis e arquivos digitais. Se um fôlder existe e é um bom material de apoio, ele pode ser usado, não há dúvida, mas Carmen sugere que o material seja entregue ou ao menos anunciado por uma pessoa. A voz ao telefone ou um simples retrato em uma caixa de diálogo já dão um toque pessoal no envio da mensagem.

Aplicando o princípio em apresentações, um evento virtual presencial tende a ser muito mais motivador que uma versão autoexplicativa. Além do contato em si, deve-se considerar que as pessoas podem aliar mensagens motivadoras a suas entregas. Se deixar uma impressão positiva, a humanização valoriza o que está sendo oferecido. "Uma conexão entre pessoas faz muita diferença e faço questão de explicar isso aos meus clientes. Os apresentadores virtuais precisam se dar conta de sua importância e entender que, se entregarem bem um evento, terão muito mais chances de conquistar a adesão da audiência, de levar essas pessoas à ação", conclui Carmen.

Apresentações autoexplicativas

Nem sempre uma apresentação virtual com um apresentador é a melhor opção em determinado contexto. Uma empresa que esteja recebendo repetidos pedidos de demonstração de produtos e que não tenha pessoal suficiente para atender aos interessados, por exemplo, pode encontrar nas versões autoexplicativas uma boa solução.

Também chamadas de apresentações *on-demand*, elas são confeccionadas de tal modo que dispensam a presença (mesmo remota) do apresentador. Para a audiência, em geral existe a possibilidade de, mediante um clique, acionar o arquivo e assisti-lo no momento que lhe for mais adequado. São vários os contextos em que arquivos desse tipo são convenientes. Alguns exemplos:

- Para revelar conceitos gerais a um possível cliente e despertar seu interesse para uma posterior reunião.
- Em demonstrativos de produtos em sites.
- Em monitores situados em estandes de eventos e recepções de empresas.
- Como complemento de uma sessão virtual ou cara a cara: pode ser uma pequena prévia do que será abordado ou um arquivo enviado posteriormente, com uma síntese das principais mensagens.
- Para difundir uma ideia na internet como se fosse um "viral".

Independentemente do papel que prestem, as apresentações autoexplicativas precisam ser ainda mais atraentes, impactantes e didáticas que as conduzidas por apresentadores. Nelas, despertar e manter o interesse é um desafio ainda maior. Para que atinjam os objetivos a que se propõem, essas apresentações precisam ser elaboradas atentando-se a vários aspectos:

SOFISTICAÇÃO DA LINGUAGEM

Para envolver a audiência, a linguagem de uma versão autoexplicativa precisa impactar mais que a de outros tipos de apresentação. Aliando essa necessidade ao controle que se tem sobre a confecção desses arquivos (se houver prazo, eles poderão ser retrabalhados até à exaustão), é fundamental ser detalhista na escolha do vocabulário utilizado no texto das telas e em possíveis locuções. A linguagem deve estar bem resolvida, sem dar margem a contradições. Também não pode haver ruídos e comentários irrelevantes, tantas vezes presentes em uma apresentação ao vivo.

BREVIDADE

Não há presença humana? Então passe sua mensagem principal da forma mais rápida e concisa que puder. Se houver um longo conteúdo a ser transmitido, distribua-o em algumas apresentações menores.

MESCLA DE MÍDIAS

As apresentações autoexplicativas aceitam bem a mescla de arquivos de PowerPoint com outros recursos audiovisuais. Se for coerente com seu contexto, tire proveito disso.

POSSIBILIDADE DE LOCUÇÃO

Nas apresentações autoexplicativas é possível inserir um arquivo de áudio que pode vir acompanhado ou não de uma locução. É fundamental decidir sobre a inserção dessa locução antes de criar a parte visual, pois as informações contidas nos slides precisam ser adaptadas à presença ou à ausência desta variável. Em uma apresentação sem locução, as imagens – em geral acompanhadas de dizeres textuais – precisam tornar a mensagem compreensível para a audiência.

No caso de haver locução, o discurso é gravado e, em seguida, sincronizado com os slides confeccionados. Nesse ponto, as apresentações autoexplicativas têm uma vantagem sobre as outras: nelas, há condições ideais para se alcançar uma qualidade vocal diferenciada, já que são inúmeras as chances de gravar e regravar o áudio, atentando para a adequação da voz do locutor a cada trecho do discurso.

POSSIBILIDADE DE HUMANIZAÇÃO

Não é prática obrigatória colocar pessoas em apresentações autoexplicativas. De todo modo, caso haja a intenção de humanizar uma apresentação desse tipo, pode-se inserir locução, retratos de pessoas acompanhados de dizeres ou mesmo arquivos de vídeo que mostrem pessoas.

CANAL PARA INTERAÇÃO

Apesar de as apresentações autoexplicativas não proporcionarem uma comunicação direta com um apresentador, pode-se viabilizar uma interação com o sistema. Basta que haja links para outras referências ou apresentações sobre temas similares. Outra opção é incluir telefone ou endereço eletrônico para contato.

UMA APRESENTAÇÃO AUTOEXPLICATIVA PODE SER COMPARADA A UM VÍDEO?

No que se refere a dinamismo e estrutura, a apresentação autoexplicativa pode, sim, ser comparada a um vídeo. O grande diferencial entre ambos é o modo de confecção e o fato de as apresentações autoexplicativas em geral serem montadas de maneira mais simples e econômica que os vídeos tradicionais.

APRESENTAÇÕES VIRTUAIS OU AUTOEXPLICATIVAS? CONFIRA VANTAGENS E DESVANTAGENS DE CADA UMA DELAS

	APRESENTAÇÃO AUTOEXPLICATIVA	APRESENTAÇÃO VIRTUAL
Tamanho e *timing* da audiência	Atende quantas pessoas estiverem interessadas, no momento que lhes for conveniente. Possibilidade de "audiência infinita".	Pode atender centenas de pessoas simultaneamente, no horário determinado pelo apresentador.
Controle de qualidade	Permite controle total sobre o produto final, já que é possível gravar e regravar quantas vezes forem necessárias.	Mesmo que o apresentador esteja bem treinado, não é possível prever a qualidade final da apresentação.
Improvisação e interação	É um evento gravado e não oferece nenhuma possibilidade de improviso. Sobre a interação, o máximo a fazer é incluir links e dados para contato.	Dá margem a interações e improvisações.
Dinamismo e mescla de formatos e mídias	São possíveis e devem ser colocados em prática, se houver tempo (já que essas apresentações costumam ser breves).	São possíveis e devem ser colocados em prática.
Humanização	A apresentação pode ser isenta de elementos humanos ou pode ser humanizada com locução e imagens de pessoas inseridas nos slides.	Existe no mínimo por causa da voz do apresentador. O aspecto pode ser salientado, por exemplo, com um pequeno retrato dele em uma janela.
Duração	Por ser mais difícil prender a atenção da audiência, é preferível que as autoexplicativas durem apenas alguns minutos. Se for preciso se prolongar, é melhor fazer duas ou mais pequenas apresentações.	Contanto que a apresentação seja bem-feita, sua duração pode ser comparável à de apresentações presenciais: 15 minutos, 30, 60...

Cap. 5 – O PowerPoint e outras ferramentas de apoio

INTEGRE SUAS APRESENTAÇÕES ÀS REDES SOCIAIS

Que tal aumentar a visibilidade de suas apresentações? Autoexplicativas ou não, apresentações virtuais encontram nas redes sociais um ótimo canal de divulgação, interação e aprofundamento. Reunindo públicos segmentados e nichos específicos, essas redes podem ser utilizadas para estabelecer uma conexão com o público antes, durante e depois das apresentações. Veja, a seguir, algumas maneiras de estabelecer essa comunicação:

1. Crie antecipação

Se seu evento é aberto ao público, divulgue-o e crie expectativa no público-alvo com dias de antecedência. Lance discussões, comentários, estimule debates em redes sociais. Isso pode ser feito em diversos canais, como comunidades do LinkedIn, páginas do Facebook criadas especificamente para divulgar o evento, redes Ning e MeetUp e *hashtags* no Twitter. Além de divulgar o evento, você põe o tema em destaque, identifica os principais pontos de interesse do seu público-alvo e cria uma interação prévia entre participantes. Mesmo que o evento seja direcionado a um público restrito, o trabalho em redes sociais também pode ser feito – nesse caso, o ideal é criar um ambiente virtual exclusivo para participantes do evento.

2. Faça uma apresentação socialmente amigável

Tanto no conteúdo quanto na forma, elabore uma apresentação "socialmente amigável", ou seja, compreensível para o público das redes sociais afins e que possa ser facilmente compartilhada e divulgada. Ao longo da apresentação, use frases marcantes que possam ser "retuitadas" durante ou após o evento. Além disso, crie e divulgue, na própria apresentação, uma *hashtag* no Twitter referente ao evento.

3. Capte comentários na rede em tempo real

Se você fez um bom trabalho de divulgação e tem visibilidade na rede, capte em tempo real e exiba ao público comentários postados sobre o evento, seu tema e sua marca. Com o uso de *widgets* do Yahoo ou do Google que exibam Feeds/RSS e outras informações via *streaming*, é possível incluir dados de busca no Facebook, no Twitter e em blogs. Via SMS ou Twitter, também é possível obter feedback da audiência em tempo real e, com este feedback, determinar um slogan, uma conclusão ou o rumo final da apresentação. Mas atenção: use esses artifícios somente se isso fizer sentido no contexto de sua apresentação. Outra forma de interação em tempo real é ter um parceiro de trabalho, durante o próprio evento, "tuitando" as principais mensagens passadas.

4. Incentive comentários na rede

Durante sua apresentação, nos momentos em que convida a audiência a participar, você pode solicitar que postem suas respostas e comentários diretamente no Twitter, de modo que as respostas gerem uma divulgação imediata do evento, ao mesmo tempo que servirão de feedback para você. Faça isso apenas se estiver apto a assumir uma postura multitarefa e acompanhar em tempo real os comentários postados – ferramentas como o Poll Everywhere, que importa os comentários diretamente para sua apresentação, podem contribuir com essa interação.

5. Dê continuidade à apresentação

Apresentação concluída significa missão cumprida? De jeito nenhum! Se você fizer um bom trabalho na rede, a apresentação pode ser apenas o início de um relacionamento com a audiência. Caso a criação de vínculos com a audiência seja interessante para você, vá em frente. No final do evento, divulgue seu e-mail, site pessoal (ou da empresa) e as redes sociais em que você se encontra. É um bom começo para as pessoas conseguirem encontrá-lo e poderem se aprofundar nos temas expostos.

A continuidade do assunto após o término da apresentação, o compartilhamento de links e posts sobre o evento são sinais de boa aceitação, interesse despertado e sucesso da apresentação. Se quiser, você pode disponibilizar ao público o acesso à versão web da apresentação, em ferramentas como o site SlideShare. Você também pode disponibilizar, em um hotsite próprio da apresentação, dados e informações apresentados ou complementares. Tudo isso aumenta a visibilidade de suas mensagens principais nas redes sociais.

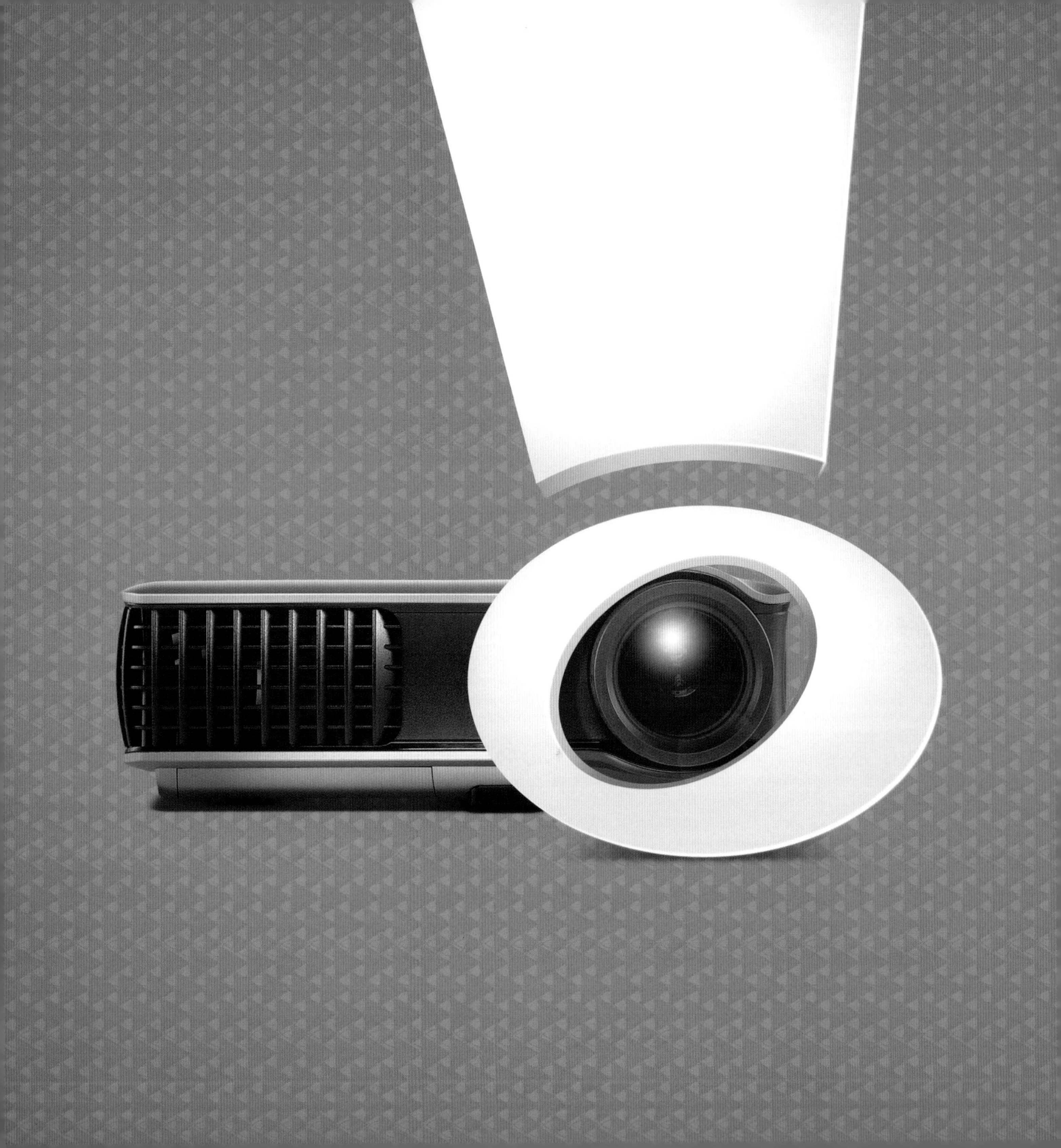

FECHAMENTO

"Você precisa desaprender o que aprendeu."
Mestre Yoda, *Star Wars*

Um exercício de desapego

Modificar a maneira de realizar uma atividade, desfazer-se de hábitos que talvez o acompanhem há dez, vinte, trinta anos, é um verdadeiro exercício de desapego. Adrian Ferguson, vice-presidente de mídia e inovação da agência Fischer América, é um profissional que viveu essa experiência.

Atuando na área de mídia de agências de publicidade, já fez e assistiu a centenas de apresentações corporativas. Já viu, sim, boas apresentações, mas também já deparou com excelentes profissionais reunindo um caminhão de dados e jogando tudo aquilo na tela, acreditando que estavam se comunicando de maneira eficiente. A seu ver, essa visão inadequada ainda é muito praticada, mas precisa mudar urgentemente. E resume: "Uma apresentação tem 30 minutos nos quais você tem a possibilidade de encantar uma pessoa com um raciocínio – e isso não pode ser desperdiçado".

Conforme lembra, uma das melhores apresentações que já fez aconteceu em 2008, quando foi contratado para atuar na vice-presidência de mídia da Fischer América. Alguns dias antes de sua entrada na agência, ele criou um *business plan*, definindo o que queria para sua área no ano que viria. Para preparar o documento, fez uma imersão. Reuniu-se com alguns executivos da agência, conversou com pessoas do mercado que se relacionavam com eles e realizou um bom levantamento sobre o que precisaria ser feito em termos de pesquisa, pessoas e estrutura. Especificou os investimentos necessários, o tempo previsto para implantação das metas e outras coisas do gênero. A seu ver, a apresentação ficou espetacular. O roteiro ficou estruturado de maneira coerente e harmônica, havia um conteúdo consistente e um belo visual de apoio. O conjunto, enfim, ficou atraente e despertou tamanho interesse em sua audiência (no caso, o presidente da agência), que em vez de a apresentação durar os 15 minutos inicialmente previstos, acabou se estendendo por 2 horas.

Para Adrian, mesmo profissionais acostumados a amontoar dados são capazes de fazer boas apresentações – contanto que estejam dispostos a praticar o tal exercício de desapego. É preciso abandonar velhos hábitos, afastar-se da velha ideia de aproveitar uma mesma reunião para passar toneladas de informações. É necessário eleger sempre uma mensagem principal e fazer dela o centro da apresentação. O discurso deve ser apoiado em uma história bem estruturada, coerente e que se assemelhe a um bate-papo. Com a segurança de quem modificou os próprios hábitos, ele afirma: "Falo isso tudo com muita clareza, pois tenho adotado essas práticas há alguns anos e, desde então, estou certo de que tenho criado apresentações e documentos com muito mais competência e qualidade do que fazia anteriormente".

É por estarmos certos da possibilidade dessas mudanças de hábitos e paradigmas que nós, em nome da SOAP, escrevemos este livro. Independentemente das práticas que você adotou até o momento, esperamos que esteja disposto a abandonar velhos hábitos, abraçar o desafio e aperfeiçoar sua maneira de se comunicar em apresentações. E, antes de nos despedirmos, relacionamos para você, em uma miniapresentação, algumas das principais mensagens destacadas ao longo deste livro. É esse o nosso vício, não resistimos...

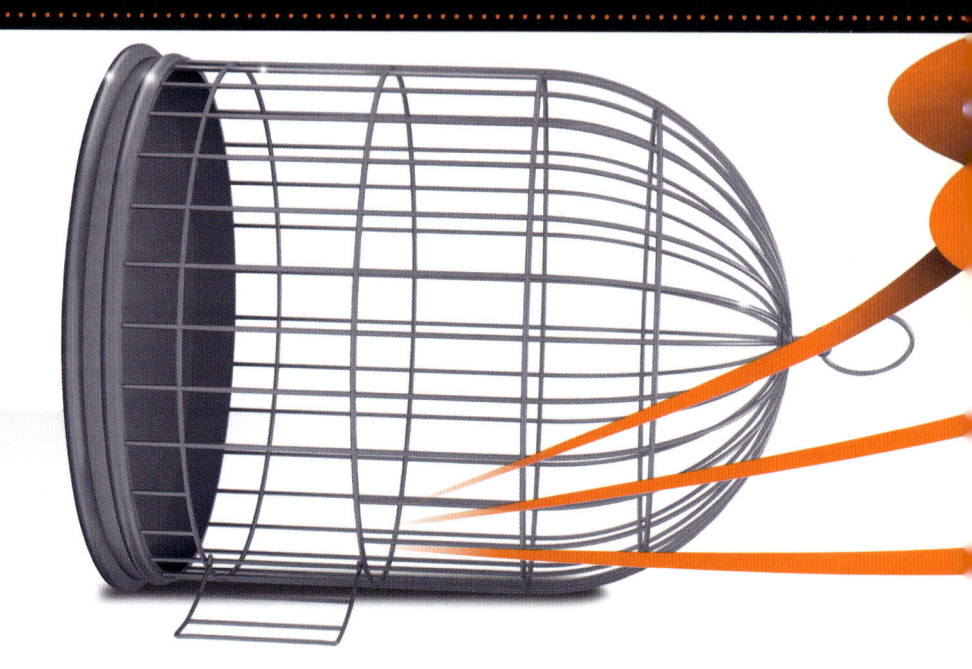

Fechamento 177

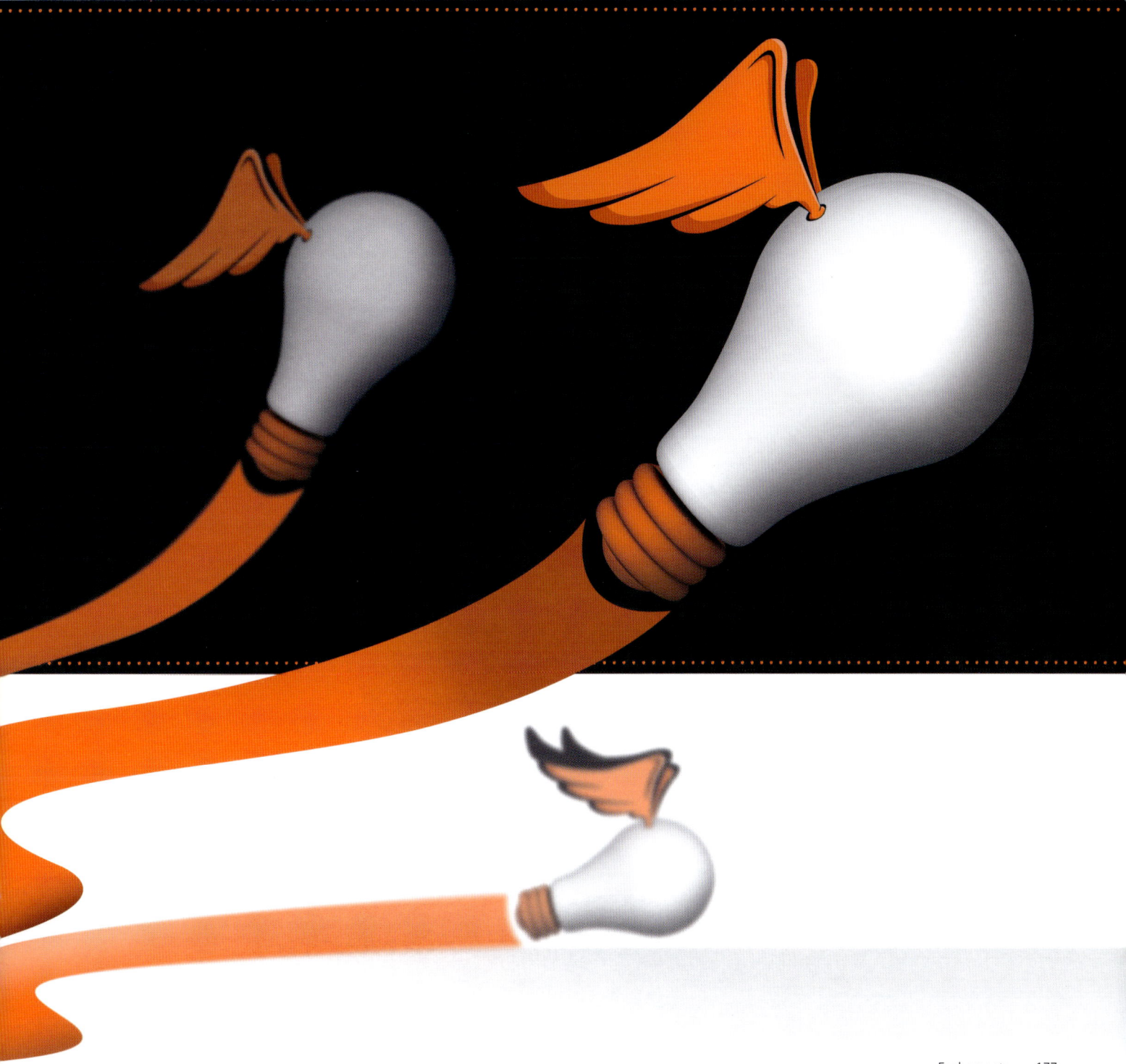

ESPERAMOS QUE NESTAS PÁGINAS VOCÊ TENHA ADQUIRIDO UM NOVO OLHAR SOBRE APRESENTAÇÕES.

NOVO OLHAR

QUE TENHA ENTENDIDO QUE, MAIS QUE OPORTUNIDADES DE AUTOPROMOÇÃO, AS APRESENTAÇÕES SÃO MOMENTOS ABSOLUTAMENTE DECISIVOS PARA SEUS NEGÓCIOS.

MOMENTO DECISIVO

ALTÍSSIMA QUALIDADE

ESPERAMOS QUE SE APROPRIE DAS FERRAMENTAS AQUI APRESENTADAS E, COM ELAS, FAÇA APRESENTAÇÕES DE ALTÍSSIMA QUALIDADE.

FIO CONDUTOR PARA SEU DISCURSO

QUE SE LEMBRE DE CRIAR ESTRATÉGIAS E ABORDAGENS QUE INSIRAM OS BENEFÍCIOS DO CLIENTE COMO FIO CONDUTOR PARA SEU DISCURSO...

QUE ESQUEÇA O VELHO AMONTOADO DE DADOS DESCONEXOS E CRIE HISTÓRIAS QUE CONDUZAM A AUDIÊNCIA EM UMA LINHA DE RACIOCÍNIO.

LINHA DE RACIOCÍNIO

QUE CRIE UM APOIO VISUAL À ALTURA DE SEU DISCURSO E QUE ELE SEJA DE FATO UM APOIO VISUAL (CHEGA DE TRANSTORNOS VISUAIS!).

APOIO VISUAL

SE PREPARE TANTO QUANTO NECESSÁRIO

FEITO ISSO, ESPERAMOS QUE SE PREPARE TANTO QUANTO NECESSÁRIO PARA TER PLENO DOMÍNIO DO QUE IRÁ APRESENTAR.

ENCANTE

E, COMO CONSEQUÊNCIA, QUE DÊ UM SHOW, ENCANTE SUA AUDIÊNCIA E CONQUISTE A ADESÃO DESEJADA!

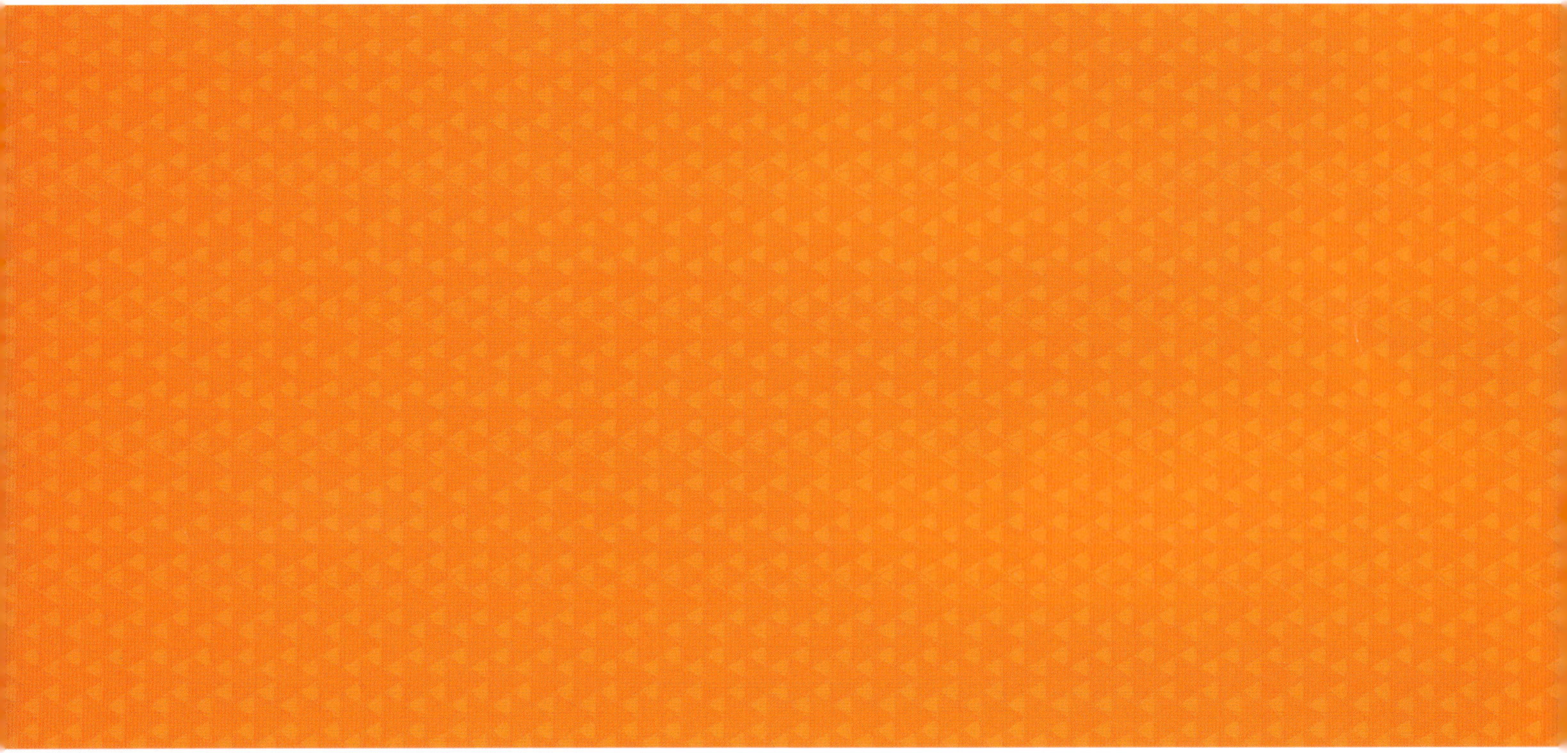

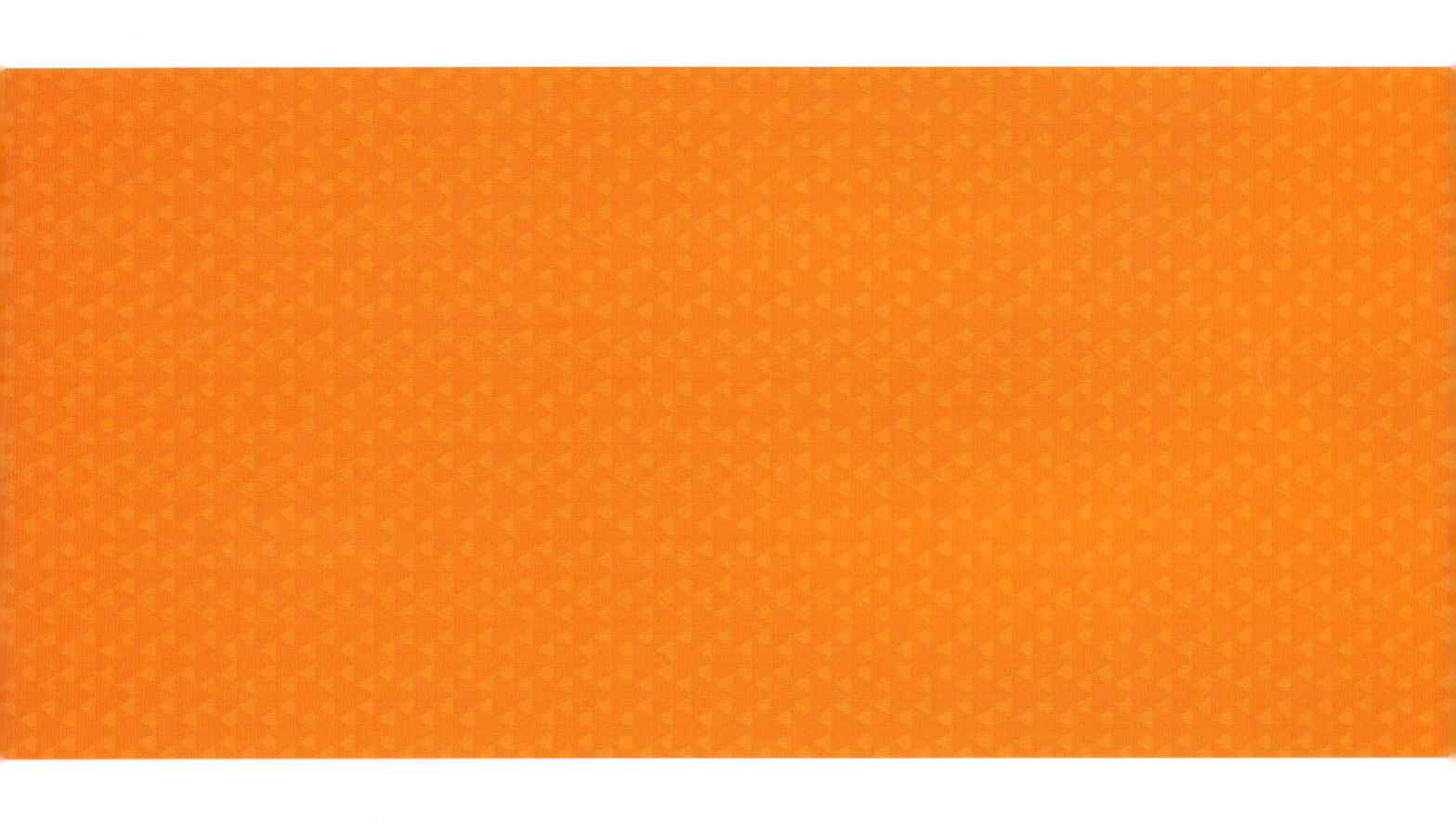